GEVONDEN KIND

Daphne van Rapenburgh

Gevonden kind

Westfriesland

Eerste druk in deze uitvoering 2007

NUR 343
ISBN 978 90 205 2816 9

Copyright © 2007 by 'Westfriesland', Hoorn/Kampen
Omslagillustratie: Bas Mazur
Omslagontwerp: Bas Mazur

HOOFDSTUK 1

Langzaam draaiden de wielen van de boerenwagen over de zandweg. Het paard dat de kar trok, schudde regelmatig met haar hoofd waarbij de schuimvlokken rondvlogen.

„Je bent het beu hè, Frouke?" zei Arnie vanaf de bok, „en je hebt gelijk, 't was een zware dag. Ik zal je nog wat laten drinken."

De oren van het paard gingen heen en weer alsof zij haar baas verstond en bij het 'heu' stond ze meteen stil.

Met een lenige sprong stond Arnie naast het paard en wreef het dier even over de neus. Vanuit een melkbus gooide hij wat water over in een emmer en zette die bij het dier neer. Terwijl het paard gulzig dronk, leunde haar baas tegen de kar en streek terloops over zijn gebloemde boezeroen.

De geldbuidel was nog op dezelfde plek, net als al die keren daarvoor toen hij er zijn hand langs liet glijden.

't Gaf een angstig gevoel zoveel geld mee te dragen, maar vader zou er blij mee zijn. Niet eerder had het graan zo'n hoge kiloprijs opgebracht. Bijna de helft meer dan Widde er enige weken geleden voor gevangen had.

Jammer voor Widde!

Hij zou het natuurlijk ook fijn gevonden hebben om vader met een dikke buidel te verrassen.

Gelukkig had vader er niets van gezegd. Alleen wat bedenkelijk gekeken en met de woorden 'een volgende keer beter', Widde een gulden toegeschoven.

Tjonge, wat was Widde toen snel de keuken uit. Weg, naar de kermis, zoals hij zelf zei.

En 's nachts platzak en dronken weer thuis.

Ja, Widde bakte ze wel wat bruin, de laatste tijd. Bijna elke avond op stap en 's morgens niet uit bed te krijgen.

Veel werk was erdoor blijven liggen, vooral nu vader ook niet meer zo goed mee kon.

„Het zullen Widdes wilde haren wel zijn," mompelde Arnie voor zich uit.

Hij zei het echter hard genoeg om tot de werkelijkheid terug te keren en liep haastig naar het paard.

„We moeten weer verder, Frouke, we zijn laat vandaag."
Het laatste gedeelte van de rit leek Arnie eindeloos lang, maar na een bocht in de weg kwam het dorp in zicht.
Het lag omringd door akkers die onderling gescheiden werden door groenstroken, afgewisseld door houtwallen.
't Lijkt op een dambord, bedacht Arnie, maar dit is veel mooier. Dit is om nooit meer weg te willen.
Dit is thuis, waar vader naar hem uitkijkt. Waar Mijntje de pap warmhoudt en misschien wel spek aan het bakken is voor op het brood. Mmmm!
't Was of ook het paard de stal rook, want het ging ineens over in een draf.
De plotselinge ruk deed de wagen vervaarlijk slingeren en eer Arnie begreep wat er gebeurde, lag hij in het zand en keek geschrokken naar de kar die schuin vooroverhing. Het linker voorwiel lag ernaast.
„Ook dat nog," mopperde Arnie ineens uit z'n humeur. „Dat krijg ik in m'n eentje nooit voor elkaar. Er zal niets anders opzitten dan met Frouke naar huis te lopen en dan morgen de wagen ophalen in de hoop dat-ie er dan nog staat." Er werd nogal eens geroofd de laatste tijd. Boeventuig dat langs 's herenwegen trok en even snel verdween als ze gekomen was.
Vader had er al vaak voor gewaarschuwd. 'Grendel de deuren voor de nacht. Ook die van de stallen. Je weet maar nooit!'
Arnie stond op en sloeg met z'n pet het zand van z'n zondagse kleding.
„Da's niet zo mooi," klonk het ineens achter hem.
Met een ruk keerde Arnie zich om en greep als vanzelf naar de buidel onder z'n bloes.
„Da's niet zo mooi," herhaalde de man die tegenover hem stond en hij wees naar het wiel dat in het zand lag.
„Nee," antwoordde Arnie en nam de ander wat argwanend op.
Zijn onderzoekende blik was de man niet ontgaan en hij lachte breed toen hij zei: „Ik ben Geurt. Geurt Miedema, de harmonicaspeler. Ik ben op weg naar Bargveen. Zullen we het karweitje samen even klaren?"
Arnies gezicht klaarde helemaal op. „Heel graag," antwoordde

hij en schudde de uitgestoken hand waarbij hij zei: „Ik ben Arnie Ovink."

„Ovink? Die naam heb ik meer gehoord," zei Geurt terwijl hij de harmonica van z'n schouders liet glijden en z'n mouwen oprolde.

„Als jij het wiel neemt, til ik de wagen op," vervolgde hij. Pas nu viel zijn gespierde gestalte Arnie op. Wat een sterke kerel' dacht hij toen Geurt met z'n rug de wagen omhoogduwde.

„Nu het wiel erop!" riep Geurt met een rood hoofd.

„Die zit er al aan!" riep Arnie even later terug. „Maar de spie is zoek!"

„Die zal dan nog wel in het zand liggen," opperde Geurt en rechtte z'n rug.

Samen kropen ze door het zand op zoek naar het stuk ijzer dat het wiel op de as moest houden.

„Hier is-ie!" riep Geurt na een poosje en leek nog blijer dan Arnie.

Met de hak van zijn schoen sloeg hij de spie in het gat en zei: „Voor mekaar. Maar je zult wel met de wagen naar de smid moeten, het gat is uitgesleten."

„Dat zijn zorgen voor morgen," vond Arnie. „Laten we eerst maar thuis zien te komen. Wil je soms meerijden?"

„Hangt er van af waar je heen moet," antwoordde Geurt…"

„Ik woon daar," wees Arnie. „Je kan het rieten dak net zien."

„Bedoel je die boerderij met die twee schuren erachter?"

„Ja," beaamde Arnie, „dat is de Leeuwerikhoeve en jij moet naar Bargveen, zoals je zei."

„Ja, ik speel de komende dagen in herberg 't Sliefje."

„O… maar dat is ook niet zo ver meer, dus stap maar op de bok, dan gaan we rijden. Ik heb reuze honger en het lijkt me verstandig dat je met mij meegaat. Dat grote lijf van jou zal ook wel wat lusten."

„Nou en of," grinnikte Geurt en sprong op de bok.

Het paard wilde weer in de draf, maar Arnie hield de teugels strak en luisterde naar de vrolijke babbelaar naast hem.

„Gezellig zo," zei hij toen Geurt even zweeg.

„Ja," beaamde Geurt, „… en we gaan het nog gezelliger maken." Hij pakte zijn harmonica en begon er luid bij te zingen:

„'k Heb een mooi deerntje gezien,
ze is een jaar of zeventien,
haar ogen zijn van 't mooiste blauw,
lief deerntje ik hou van jou…"

Z'n stem klonk over de stilte van de heidevlakte en de schaapherder die hen passeerde, sjokte hoofdschuddend verder.
„Dat liedje ken ik niet," zei Arnie.
„Dat klopt," antwoordde Geurt, „ik heb het zelf gemaakt. Speciaal voor Hanna."
„Is dat je vrouw?"
„Nee, nee, was dat maar waar. Ze is de dochter van de herbergier van 't Sliefje. Een mooie lieve meid die een hard leven heeft bij haar vader. Ik zou haar daar graag weghalen, maar ze heeft nog steeds geen oog voor me."
„O nee?" vroeg Arnie verbaasd en keek naar de blonde jongeman naast zich. Z'n dansende ogen en vrolijke aard vielen direct op.
„Misschien komt dat nog," zei hij bemoedigend.
„Daar hoop ik ook op en daarom heb ik m'n hamer voor een paar dagen aan de kant gegooid."
„Je hamer?" vroeg Arnie verwonderd. „Je bent toch muzikant?"
„Dat is m'n liefhebberij," legde Geurt uit. „Ik mocht van m'n ouders geen muzikant worden. Dan kom je alleen maar in kroegen, vonden zij. En daar leer je niets goeds. Leer maar een vak. En zo ben ik op m'n twaalfde terechtgekomen bij een scheepswerf in Lemmer. Maar de harmonica blijft mijn grote liefde. Ik kreeg dit ding op m'n zesde verjaardag en wil het nooit meer kwijt. Daarom breek ik er zo nu en dan een poosje tussenuit om m'n hart op te halen en Hanna te zien."
„Hoe vinden je ouders dat?" informeerde Arnie.
Geurt woelde even door z'n haar voor hij zei: „Niet zo leuk. Maar ik ben vierentwintig jaar en dan kunnen ze je niet zo makkelijk meer aan de ketting leggen. Van Hanna weten ze niets. Ik heb er moeite mee om daar met anderen over te praten."
„Maar mij vertel je het wel," merkte Arnie niet zonder trots op.

8

„Ja, nu je het zegt. Vreemd is dat, hè? Maar 't is ook net of ik je al jaren ken."

„Dat gevoel heb ik ook," bekende Arnie. De mannen keken elkaar aan en lachten.

„Deze ontmoeting mag nooit verloren gaan," riep Geurt quasi-plechtig uit en gaf daarbij een harde klap op Arnies schouder, een plek die hij de andere dag nog zou voelen.

De wagen reed het erf van de Leeuwerikhoeve op en een gebogen gestalte kwam overeind vanaf een bankje onder een kastanjeboom.

„Zo jongen, ben je daar eindelijk? Ik werd al ongerust. Je bleef zo lang uit."

„Ja vader, ik weet het," antwoordde Arnie en haastte zich naar hem toe.

„Ik zal het u straks allemaal uitleggen, maar ik wil u eerst even kennis laten maken met iemand die met me meegereden is."

Hij wenkte Geurt die bij de wagen was blijven staan.

„Vader, dit is Geurt Miedema, voor mij de redder in nood."

„Redder in nood?" herhaalde vader verbaasd en pakte de hand van Geurt.

„Nou ja, ik hoor het nog wel. Ga eerst maar naar de keuken. Mijntje heeft wel wat te eten voor jullie."

„En dit is m'n zus," zei Arnie toen ze de keuken in kwamen waar Mijntje bij het fornuis stond.

„O Arnie!" riep ze en snelde naar hem toe.

„Fijn dat je er weer bent. Heb je nog aan schortenstof gedacht? Drie el moest het zijn. Drie el, wist je het nog? En pruimtabak voor Widde en stopnaalden en een aardappel-schilmesje. Heb je het allemaal kunnen onthouden?"

„Ho ho," lachte Arnie, „je vraagt alles tegelijk. Ik wou je eerst even laten weten dat hier twee hongerlappen zijn. De ene ben ik en de ander is Geurt Miedema."

„Ja… dat zie ik nu ook," zei Mijntje en ze kleurde tot onder haar muts toen ze vervolgde: „Ik ben Mijntje, gaat u maar gauw zitten. De pap is nog warm en het spek ook."

Beide mannen aten schrokkerig en toen de pannen leeg waren en Arnie het dankgebed had uitgesproken, stond hij op en zei:

„Blijf nog maar even zitten, Geurt. Ik ben zo terug."

Eenmaal buiten zocht Arnie het erf af. Frouke bleek al uitgespannen te zijn en de wagen stond naast de staldeur.

„Bent u bij Frouke, vader?" riep hij.

Er klonk een zwak antwoord waarop Arnie de stal binnenging. Z'n vader zat op een kist en ademde moeizaam.

„Gaat het niet, vader?" vroeg hij bezorgd.

„Nee, jongen, ik had een slechte dag. 't Was benauwd vandaag."

„Ik weet het, vader, maar misschien kan dit u een beetje opbeuren."

Arnie zwaaide met de geldbeurs: „Zullen we hiermee naar de huiskamer gaan?"

„Dat is goed, jongen," antwoordde vader en kwam steunend overeind.

Tegenover elkaar zaten ze aan de tafel in de propere kamer die alleen op de zondagen werd gebruikt en als de dominee kwam.

„Kijk eens, vader," zei Arnie met enige trots en hij schudde de buidel leeg op het pluchen kleed.

„Allemensen, kerel, dat is niet mis," vond vader en er kwam zowaar een glimlach op z'n gezicht toen hij eraan toevoegde: „Jij hebt goede zaken gedaan."

„Ja vader, en ik heb precies gedaan wat u me had aangeraden. Ik ben niet op het eerste het beste bod ingegaan. Ik heb gewacht tot de middag en tot het hoogste bod. Maar ik moet er ook eerlijk bij zeggen: het aanbod was niet groot. Er zijn veel misoogsten geweest in het land. Wij hebben geluk gehad, vader."

„Daar moeten we dan God voor danken," vond vader. Hij deed z'n pet af en vouwde z'n handen.

Er viel een eerbiedige stilte waarbij Arnies blik door de kamer dwaalde.

Z'n ogen bleven rusten op een foto aan de muur boven de ladekast.

Moeder... ze was al vijf jaar dood en nog hoorde hij zo nu en dan haar stem. Een zachte stem die bij haar kleine gestalte hoorde.

„Ik heb altijd veel van je gehouden," had ze op de laatste avond van haar leven gezegd. „Onthoud dat goed, kind, wat er ook gebeurt in je leven."

Hij zou die avond nooit kunnen vergeten. Zeventien was-ie toen en zat op de rand van de bedstee terwijl moeder zijn handen kneedde. Ze leek wat verward.

„Je hebt heel veel voor mij betekend," had ze na een lange pauze gezegd. „Heel veel."

„Widde en Mijntje toch ook?" had hij er nog aan toegevoegd.

Ze had toen getracht overeind te komen en heftig ja geknikt. Daarna was ze dodelijk vermoeid in de kussens teruggezakt en had nog gefluisterd: „Maar... jij... jij..."

Daarna viel haar hoofd opzij en waren haar ogen voorgoed gesloten...

„Ben je nog aan het nadromen over je succes, jongen?" hoorde hij z'n vader zeggen.

Met een brok in de keel keerde Arnie terug tot het heden. „Nee vader, ik peinsde zomaar wat," antwoordde hij en maakte aanstalten om de kamer te verlaten.

„Blijf nog even zitten, jongen," hield z'n vader hem echter tegen, „ik moet met je praten."

„Dat is goed, vader, maar dan moet ik eerst Geurt gedag zeggen. Ik neem aan dat hij voor donker in de herberg wil zijn en dat is toch minstens drie kwartier lopen."

„Ik begrijp het," zei vader, „maar waarom noem je hem nou je redder?"

Arnie deed in 't kort zijn verhaal en vader knikte prijzend: „Aardig van die knul. Van wie is-ie er een en wat doet-ie voor de kost?"

Arnie moest even glimlachen om z'n vaders oude hebbelijkheid: nieuwsgierigheid.

„We kennen ze niet, vader," antwoordde hij geduldig. „Geurt en z'n familie wonen in Lemmer, daar is Geurt scheepstimmerman."

„Wat moet-ie dan in die herberg?"

„Daar speelt-ie zo nu en dan harmonica. Trouwens, de oogstfeesten zijn al in volle gang. Dat weet u toch, vader?"

„Ach ja... dat is ook zo. Ga maar gauw naar je gast en

kom snel terug want ik ga zo naar bed..."

Al in de gang hoorde Arnie de stem van Geurt en de heldere lach van Mijntje.

„Zo te horen vermaken jullie je nogal," zei hij bij het binnenkomen.

„Dat doen we zeker," lachte Mijntje. „Geurt vertelt zulke gekke verhalen. Je blijft lachen. Eindelijk weer eens een beetje plezier na die saaie dag."

„Waarom saai?" vroeg Arnie. „Je hebt het toch druk genoeg?"

„Ja, maar daarom kan de dag wel ongezellig zijn," vond Mijntje. „Ik vind het nooit leuk als jij er niet bent. Aan Widde heb ik niks. Die loopt maar te mopperen en vader heeft bijna de hele dag op bed gelegen."

„Daar kan vader niets aan doen, Mijntje. Vader heeft hard genoeg gewerkt, maar hij kan gewoon niet meer."

„Dat weet ik. Maar ik wil ook wel eens iets leuks doen. De deerns van de Valkenhoeve en die van boer Brummer mogen allemaal naar de oogstfeesten."

„En waarom mag jij dan niet?" mengde Geurt zich in het gesprek, „heb je straf?"

„Ze is nog geen achttien, Geurt," legde Arnie uit, „en m'n vader is daar streng in. Hij is zuinig op z'n enige dochter."

„En terecht, je mag gezien worden, Mijntje," vond Geurt en liet zijn blik gaan over haar fijne gelaatstrekken en de welvingen in haar strakke bloes.

„Hoor je dat, Arnie?" riep Mijntje met een blos.

„Ja, ik hoor het heel goed en ga nu maar niet naast je schoenen lopen, maar vertel me of Widde nog hout heeft gehakt voor morgen."

„Nee, daar had hij geen tijd voor, zei hij, toen ik het hem vroeg. Daarna is hij weggegaan en niet meer teruggekomen. Ook niet om te eten."

Arnie kon z'n ergernis nauwelijks verbergen toen hij zei: „Ik moet je gaan groeten, Geurt. M'n vader wil me spreken en ik moet nog hout hakken."

„Da's jammer," vond Geurt, „ik had je nog wel willen vragen om mee te gaan naar 't Sliefje. Dan hadden we het glas kunnen heffen op onze nieuwe vriendschap."

Arnie maakte een hulpeloos gebaar. „Ik had het best gewild, maar het kan niet."

„En als ik nou eens hout hak terwijl jij met je vader praat," stelde Geurt voor. „Vind je dat wat?"

„Natuurlijk vind ik dat wat... Maar..."

„Geen gemaar," viel Geurt hem in de rede. „Jij gaat naar je vader en je zus wijst mij waar het hakhout ligt."

Vader Ovink lag al in de bedstee toen Arnie binnenkwam. „Neem er een stoel bij, jongen," zei hij, „want het duurt wel even. Ik vind namelijk dat de dag is aangebroken om je op de hoogte te brengen van wat geldzaken."

„Die regelt u toch altijd, vader?"

„Ja... maar ik weet niet hoelang nog..."

„Bedoelt u... Denkt u dat u doodgaat? Dat kan toch niet, vader. Zo oud bent u nog niet."

„God roept me op Zijn tijd, jongen. Daar hebben wij niets in te zeggen..."

„Dat is waar..." zei Arnie ineens uit z'n doen. „Maar als we nu eens een goeie dokter lieten komen. Die zal er wel een middel voor weten. Of Plaggemientje. Zij schijnt wonderen te kunnen doen met haar kruiden en handen..."

„Niks daarvan," zei vader een beetje vinnig. „Dat is hekserij en daar hou ik me niet mee bezig. Pak even het geldkistje uit de onderste la."

Met het kistje in z'n hand bleef Arnie even bij de kast staan: 'Als vader doodging... wat dan... Hoe moest het dan verder gaan op de Leeuwerikhoeve? Vader was altijd de spil geweest waar alles om draaide. Een liefhebbende vader met een groot hart voor iedereen. Hulpvaardig en vol godsvertrouwen...'

„Kun je het niet vinden?" klonk het vanuit de bedstee. „Ja vader, ik kom," riep Arnie.

„Kijk," zei vader toen hij het kistje opende, „hier zit het pacht-geld in voor twee jaar. Voor twee jaar, hoor je? Daar mag je dus nooit aankomen, want als er volgend jaar een misoogst is, heb je in ieder geval het pachtgeld liggen en kan de rentmees-ter jullie niks maken. Zet nu het kistje maar terug, het sleutel-tje draag ik aan jou over. Ten eerste omdat je de oudste bent, ten tweede, ik vertrouw je als mezelf. Geef het sleuteltje een goede plaats maar draag het niet bij je. Het is zo verloren."

„Komt in orde, vader," zei Arnie nog steeds onder de indruk.

„Dan…" vervolgde vader, „liggen er hier aan het voeteneinde onder het stro drie spaarbusjes met jullie namen erop. Er zal geen ruzie van komen want er zit bij alledrie hetzelfde in. Een week na m'n dood deel je ze uit en wie van jullie het busje wil openen, kan het sleuteltje bij de dominee halen. Over de inboedel heb ik maar niet nagedacht, jullie zullen hier voorlopig wel blijven wonen, denk ik. Bovendien is er niets van grote waarde in huis. Je moeder hield van soberheid en ik ook. We spaarden liever wat voor jullie. Zo, jongen, dat wilde ik aan je kwijt. Ik moet nu weer gaan liggen, het vele spreken heeft me vermoeid. Ik hoop dat ik je niet te zwaar heb belast, maar eens moet zoiets toch ter sprake komen."

„U hoeft over mij niet in te zitten, vader, maar ik zou zo graag een dokter laten komen. Misschien kunt u naar een kuuroord of zoiets…"

„Laat dat onderwerp maar rusten. Ik ken m'n eigen lijf het best. Ga nu maar en zoek nog wat gezelligheid voor de avond. Je hebt het verdiend. Je gulden ligt op tafel. En denk eraan: alles wat hier besproken is blijft tussen jou en mij."

„Ja vader, en ik hoop dat u goed slaapt."

Op de gang bleef Arnie even staan en veegde met z'n mouw langs z'n ogen. Zo mochten Mijntje en Geurt hem niet zien.

HOOFDSTUK 2

Het was Geurt meteen opgevallen dat Arnie een ernstig gesprek had gehad. Hij liet echter niets merken, maar sprak onderweg minder dan eerder die dag.

„Heb je een kamer gehuurd in de herberg?" verbrak Arnie de stilte.

„Nou, een kamer," grinnikte Geurt. „Die naam mag het niet hebben. Ik slaap bij de geit en op hetzelfde stro. D'r zit alleen een schotje tussen. In het begin moest ik even wennen aan die bokkenlucht."

„Wie laat iemand nou bij een geit slapen," zei Arnie geërgerd. „Je bent toch geen schooier."

„De waard vindt van wel. Iedereen die onder hem staat behandelt hij als een schooier. Zelfs z'n dochter. Maar voor rijke boeren en kooplieden buigt hij in het stof. Ja meneer... nee meneer. Je kent dat wel."

„Hou maar op," zei Arnie. „Die rentmeester van ons is net zo. Die zou de grond nog likken voor zijn patroon. Bah, ik kan zulke mensen niet uitstaan."

„Ik ook niet, maar je weet waar ik het voor doe. Als het niet om Hanna ging kon-ie van mij doodvallen. En zeker nu hij die madam in huis heeft gehaald."

„Die madam?"

„Ja, zo noemt hij haar. Ze ziet er heel duur uit en heet ook duur. Edeline, en ze heeft het mooiste kamertje van het huis. Daar ontvangt ze haar mannen en hij krijgt de helft ervan mee. Dat vertelde hij me een keer in een dronken bui. Mij probeerde ze ook uit, de vorige keer. „Ga es mee, Geurt, zei ze, „dan mag je m'n mooie benen zien. Ik antwoordde: „Nee dank je, Lorre, daar heb ik geen tijd voor."

Toen begon ze te giechelen achter d'r hand en zei: „Lorre, Lorre, o wat enig. Ik ben dol op troetelnaampjes..."

Ze begreep niet eens dat ik 'lor' bedoelde.

Tot Geurts genoegen lachte Arnie luid en zei: „Een mooi zootje daar."

„Als buitenstaander merk je er niks van," zei Geurt. „De meeste mensen komen voor de gezelligheid. Een dansje. Een praat-

je. Even weg uit hun dagelijkse zorgen. Allemaal mensen zoals jij en ik. Maar vandaag zal het wel extra druk zijn."
„Dat denk ik ook."

't Was nog voller dan vol in Bargveen.
Als middelgrote plaats was het de trekpleister van vele dorpen en gehuchten uit de omgeving.
Bovendien was het een plaats die van oudsher bekendstond om de gezellige sfeer, fraaie patriciërshuizen en vele herbergen.
Het Marktplein met de muziektent bevond zich in het centrum en was ook de plek waar de meeste mensen naar toe getrokken waren.
De plaatselijke kapel was al van verre hoorbaar en hield de dansende menigte op het plein in beweging.
Met moeite wisten Arnie en Geurt zich een weg te banen en werden zo nu en dan door het publiek meegetrokken voor een groepsdans.
Lachend bereikten ze 't Sliefje, waar de deur wijd openstond, wat voor wat afkoeling zorgde.
„Ha, daar hebben we onze muzikant!" riep iemand die Geurt herkende.
„Kom erbij zitten, kerel,en laat maar eens wat horen," zei een ander.
„Nog even geduld!" riep Geurt vrolijk terug, terwijl z'n ogen op zoek waren naar Hanna.
Bij de tapkast zag hij haar.
„Kom mee," zei hij tegen Arnie, „daar is ze… Graag twee bier van een mooi deerntje!" riep hij in de richting van Hanna.
Ze herkende z'n stem en keek meteen op. „Dag Geurt," was haar antwoord, „hoe is het met je?"
Ze was nauwelijks te verstaan door het lawaai om hen heen, maar Geurt was al gelukkig bij het zien van haar glimlach. „Als de ergste drukte voorbij is, zie ik je nog wel," riep hij luid.
Ze knikte en liep met een vol dienblad de andere kant op.
Staande dronken ze hun biertje totdat er in de hoek van het lokaal een tafeltje vrijkwam.

„Kom mee," zei Geurt, „we kunnen zitten. 'k Heb m'n benen genoeg gebruikt vandaag."

„Is daarachter ook een lokaal?" vroeg Arnie en wees naar een verschoten gordijn waarachter stemmen klonken.

„Dat is het privéterrein van de waard," antwoordde Geurt ineens fluisterend. „Daar wordt gegokt en gokken is verboden. Maar meneer de waard kunnen ze niets maken. Hij mag in z'n eigen huis doen wat-ie wil, zegt hij."

„'t Sliefje is er niet beter op geworden," vond Arnie. „'t Was vroeger een prima herberg. De enige waar mijn vader nog wel eens kwam toen we nog een gemengd bedrijf hadden en vader..." Verder kwam Arnie niet want het gordijn werd opzij geschoven door de waard die het direct weer sloot. Maar Arnie had genoeg gezien en sprong van z'n stoel.

„Geurt..." zei hij met ogen vol ongeloof, „Geurt, ik zag m'n broer. 't Was in een flits maar ik weet het zeker. Die met dat blonde haar... dat was Widde... Lieve hemel... Widde gokt... Wat zeg je me daarvan, Geurt..."

Geurt zei echter niets en duwde Arnie terug op z'n stoel. „Hou je even kalm, man, ik haal nog een biertje voor ons." Toen hij terugkwam wenkte hij Arnie: „Kom even mee naar mijn kamers en suite."

Hij duwde Arnie een paar donkere gangetjes door en bleef staan in een schuurtje dat aan de herberg vastzat.

„Ga hier maar even zitten," zei hij en wees naar een leeg biervat.

Arnie plofte erop neer en staarde voor zich uit. Met een gevoel van meelij keek Geurt hem aan en schoof onrustig met z'n voeten voor hij zei: „'t Spijt me ontzettend voor je, makker, maar ik moest het je laten zien. 'k Heb er lang over nagedacht tijdens het houthakken bij jullie, maar ik vond dat het moest."

„Bedoel je... dat je het wist... van Widde...?"

Geurt knikte langzaam en nadrukkelijk. „Eigenlijk pas sinds vanmiddag toen ik z'n naam hoorde bij jullie in de keuken. De naam Ovink was al gevallen bij onze ontmoeting maar die bracht ik niet in verband met je broer. Jullie lijken ook helemaal niet op elkaar. Jij donker, hij blond. Hij zo stevig gebouwd en jij... nou ja, toch een stuk minder. Maar toen ik

de naam Widde hoorde, dacht ik: dat kan bijna niet missen en dus vond ik dat zijn familie dat moest weten. Zo'n joch gaat naar de afgrond op die manier. Daarom heb ik je hier naartoe gelokt en vind het spijtig dat ik je avond zo bedorven heb."
„Daar hoef je geen spijt van te hebben, Geurt. Ik moet het even verwerken, maar ben je wel dankbaar. Veel dingen worden me nu duidelijk. Het gedrag van Widde en zo... Wat zal ik doen, Geurt. Zal ik naar hem toe gaan en zeggen: Kom mee, Widde, hou je niet langer op met die rotzooi...?"
„Zou ik niet doen," zei Geurt. „Widde zal zich dan in z'n hemd gezet voelen en misschien wel kwaad worden. Bovendien: je mag er niet komen. Als ik jou was zou ik het eerst met je vader bespreken, dan kan hij met Widde praten."
„O nee, geen sprake van," zei Arnie beslist. „M'n vader is ziek. Dit kan hij niet verwerken. Vader denkt dat Widde zich zo gedraagt omdat-ie verliefd is."
„Dat is-ie ook," zei Geurt, „maar ik denk dat je vader daar niet blij mee zal zijn. Je broer is verliefd op Lorre. Hij is helemaal in de ban van haar. En zij buit dat uit.
Ze is dom maar uitgekookt. Trouwens, dat is het hele stelletje daar achter het gordijn. Denk maar niet dat je broer vaak wint en het zou me ook niet verbazen als ze met gemerkte kaarten spelen."
„Verliefd op een sloerie..." mompelde Arnie voor zich uit. „Hoe praat ik dat uit z'n hoofd."
„Tja..." antwoordde Geurt, „dat zal niet meevallen. Maar je zou hem erop kunnen wijzen wat voor gemene ziektes hij kan oplopen bij zo'n vrouw."
„Ziektes? Wat voor ziektes. Is ze dan niet gezond?" Geurt schoot in de lach. „Ben je nou zo onnozel of doe je alsof?"
„Nee, Geurt, ik weet echt niet wat je bedoelt."
„Geslachtsziektes bedoel ik. Die loop je bij dat soort vrouwen makkelijk op als je ermee gaat hupsakeeën, snap je?"
„Denk je dan dat Widde... Nee, dat doet Widde niet. Dat weet ik zeker..."
„En ik weet zeker dat-ie het wél doet," beweerde Geurt stellig. „'k Heb hem zelf naar boven zien gaan en daar ging-ie echt niet heen om haar gordijntjes te bewonderen..."

„'t Wordt steeds fraaier," merkte Arnie somber op. „Ik denk dat ik maar eens naar huis ga. Ik moet even alleen zijn. 't Is een janboel in m'n hoofd. Een eindje stappen zal me goed doen. Ik hoop dat je dat begrijpt, Geurt. En nog bedankt voor alles."

Hij gaf Geurt een hand en hield die even vast. „Zie ik je weer eens gauw?"

„Daar kun je op rekenen," verzekerde Geurt.

Buiten was het feestgedruis nog in volle gang.

De boerenkapel liet zich goed horen en honderden paren klompen stampten op de maat mee.

Gelach, gejoel en allerlei klederdrachten schoven aan Arnie voorbij, maar hij had er nauwelijks oog voor.

Weg uit de drukte!

Denken... denken! Dat was nu van belang.

Hoe moest hij Widde benaderen? Widde, die in een heel andere wereld terecht was gekomen. En hoe haalde hij Widde weer terug naar huis nu hij de liefde geproefd had.

Dan was al het andere immers grauw en saai, zeker op de Leeuwerikhoeve waar vrolijkheid of vertier ver te zoeken was.

Dat was vroeger wel anders. Dan kwamen ze uit de buurtschappen om koffie en een praatje.

Sterke verhalen over en weer. De vrouwen met een brei- of naaiwerkje op hun schoot en de mannen die aan hun pijp slurpten en de laatste nieuwtjes uitwisselden over graan- en veeprijzen. Griezelverhalen over de moerasgeest die daar rondwaarde en op je loerde. Je meezoog tot alles zich boven je sloot. Samen met Widde had-ie er met rode oren naar geluisterd.

Wel honderd keer gehoord maar er nooit genoeg van gekregen. Dát waren nog eens tijden.

Toen leefde moeder nog en kon het in de keuken zo heerlijk ruiken naar gebakken brood en vlees.

En op nieuwjaarsdag, als het erf vol stond met huifkarren en binnenskamers de fles van hand tot hand ging tot ze opstapten om de volgende buur te bezoeken.

Dat alles was voorbij. Door de jaren heen waren er veel boeren failliet gegaan door misoogsten, lage graanprijzen. Doodgeconcurreerd door de 'graanbaron' zoals-ie in de volksmond genoemd werd, die meneer Buwalda van Larikxhoven. Hij kocht het failliete boeltje op, zette er een goedkope knecht in en nam dagloners in dienst voor een dubbeltje, of nog minder, per uur.

De buurt was erdoor veranderd. Nieuwe gezichten in de omgeving. Vertrouwde gezichten die je niet meer zag omdat ze weggetrokken waren of zich niet meer lieten zien uit schaamte voor hun nederlaag nu ze als dagloner door het leven moesten.

En hoelang kon de Leeuwerikhoeve het nog volhouden tegen de concurrent?

Widde had het met vader al over emigreren gehad.

„We moeten naar Amerika of Canada, vader. Daar is nog toekomst in de landbouw."

Maar vader had er niets over willen horen. „Hier ligt je moeder en hier wil ik ook liggen", was al wat-ie ervan zei.

Zorgeloos als Widde was, had-ie niets van vaders antwoord begrepen en geroepen: „We kunnen daar rijk worden, vader!"

Zou Widde soms van gedachten zijn dat-ie met gokken ook rijk kon worden of hadden ze hem dat misschien wijsgemaakt?

Ze waren er slecht genoeg voor en goedgelovige Widde trapte erin.

En dan die vrouw. Ze zag er duur uit, had Geurt gezegd. En daar had Widde oog voor. Hij wilde graag de zoon van een rijke boer lijken. Vond twee kwartjes zakgeld per week veel te weinig en die ene oogstgulden ook. Dat had-ie laatst ook gezegd tegen vader.

Vader had hem toen vermanend toegesproken en gezegd dat het gezin Ovink maar gewone pachtboeren waren. Als Widde ontevreden was, moest-ie maar eens naar die arme stakkers in het veen gaan. Daar moesten ze voor diezelfde twee kwartjes de hele dag tot hun knieën in de blubber staan. Veelal op hun sokken omdat ze geen geld hadden voor laarzen en hun schoenen wilden sparen voor de kerkgang op zondag.

Schaam je, Widde, en dank God dat je op de Leeuwerikhoeve geboren bent!
Widde was toen afgedropen en had 's avonds in bed gemopperd over vaders ouderwetse ideeën...

Toen Arnie thuiskwam was Mijntje nog op en bezig de kachel te vullen met turf.

„Je bent vroeg terug," zei ze enigszins verbaasd, „was het niet gezellig?"

„Jawel," antwoordde Arnie, „maar ik vond het welletjes voor vandaag."

Hij hoopte dat Mijntje er geen verdere vragen over zou stellen en dat deed ze ook niet.

„Ik wilde het niet vragen waar Geurt bij was," begon ze even later weer, „maar waarom moest je bij vader komen?"

„O... dat ging over pachtgeld en bijkomende zaken..."

„Verder niets?"

„Nee, waarom vraag je dat?"

„Nou ja... ik dacht..." Mijntje zweeg even, plukte aan haar nachtpon en ze zei: „Ik maak me ongerust over vader..."

„Dat doe ik ook," bekende Arnie, „maar ga nou niet slapen met een hoofd vol muizenissen. Wie weet knapt vader wel weer op. Probeer daaraan te denken en ook dat je volgend jaar naar het oogstfeest mag. Ga maar vast nieuwe schorten maken, dan zullen er nog meer jongens om je heen draaien."

„Doe niet zo mal," lachte Mijntje verlegen.

„Waarom mal? Je hoorde toch wat Geurt over je zei? Misschien word je volgend jaar om deze tijd wel door een schone jongeling thuisgebracht."

„Dan zal hij toch op jou moeten lijken, anders hoef ik hem niet."

Arnie schoot in de lach. „Op mij?!" riep hij. „Maar ik ben geen schone jongeling, hoor! Kijk maar eens goed naar me."

„Doe ik m'n leven lang al," antwoordde Mijntje en het klonk zo stellig en oprecht dat Arnie even niets wist te zeggen. Hij keek naar z'n zus die haar muts afdeed en het haar losgooide.

„Je gaat me toch niet op een voetstuk plaatsen, Mijntje?" zei hij ineens heel ernstig. „Ik ben je broer. Een gewoon mens, net

21

als Widde en alle andere jongens van mijn leeftijd. Ik weet, jouw wereldje hier is klein. Je ontmoet weinig anderen maar denk daardoor niet dat ik volmaakt ben, hoor."

„Weet ik heus wel," zei Mijntje. „Maar ik voel me nu eenmaal sterk aan je verwant. Met Widde heb ik dat helemáál niet. Widde ging altijd z'n eigen gang en dat doet-ie nog. Jij trok veel meer met mij op."

„Dat is zo. Maar dat komt ook omdat je vijf jaar jonger bent dan ik en ik voelde me heel trots dat ik je dingen kon vertellen of laten zien die jij niet wist."

„Het maakt niet uit waarom je het deed, Arnie. Je dééd het en ik hoop echt dat je niet gauw trouwt, want dan zal ik me hier heel ongelukkig voelen."

„Daar is voorlopig nog geen kijk op, Mijntje, ga dus maar rustig slapen."

„Ja, dat ga ik doen, ik ben moe."

Ze stond op en gaf Arnie een kus op z'n wang.

Bij de deur keek ze nog even om en zei: „Kijk, dat zou ik bij Widde nooit doen."

Met gemengde gevoelens bleef Arnie achter. Zoals Mijntje sprak was niet goed. Ze moest hem niet als bijzonder zien. Als ideaal mens. Op die manier zou hij haar geluk in de weg staan. Maar ja... als hij zo-even eerlijk was geweest en net zo makkelijk over zijn gevoelens kon praten als Mijntje, dan... ja dan had hij tegen Mijntje moeten zeggen: eigenlijk is het met mij net zo. Ik vind aan al die meisjes niks aan. Maar die enkele keer dat ik er een tegenkom die op jou lijkt... Ja... dan word ik warm van binnen en gaat m'n hart jubelen.

Zou zoiets normaal zijn tussen een broer en een zus? Of is het abnormaal en kon het Gods toorn oproepen?

Aan wie zou hij die vraag kunnen en durven stellen? Eigenlijk aan niemand. Nee, dit mocht niemand weten. Dit moest-ie diep wegstoppen, ook voor Mijntje... Met een zucht stond Arnie op en liep naar buiten.

Op het erf bleef hij staan. Er was meer wind gekomen en de frisse nachtlucht deed hem goed. De maan verlichtte het landschap en de wind bracht de geur van de bloeiende heide over.

Het verderop gelegen beekje was te horen en van dichterbij het schrapen van een hoefijzer over de stalvloer.

Frouke… ze had zijn voetstappen gehoord en wachtte op een nachtgroet die ze al jarenlang van hem gewend was.

„Zo Frouke," zei hij bij het binnenkomen, „je hebt me tot de orde geroepen. Ik was je bijna vergeten. Je bent trouwer dan ik. Maar vandaag heb ik veel aan m'n hoofd. Zulke dagen hoop ik niet vaak te hebben. En ook weer wel, want ik heb er vandaag een vriend bij gekregen en aardig wat geld thuisgebracht. Maar al dat andere… Wees maar blij dat je een paard bent."

Het paard besnuffelde hem en hapte naar z'n bloes.

„Nee Frouke, dat mag niet. Die moet ik zondag weer aan." Hij gaf het dier nog wat water en sloot de stal en het wagenhuis af.

Nadat hij in de keuken de olielamp wat lager had gedraaid, liep hij op z'n tenen de trap op.

In het zolderkamertje hing nog de warmte van eerder die dag en hij duwde het raampje open.

Van buiten klonk gelal en Arnie liet zich op het bed zakken.

Dat was Widde. Hij klonk vrolijk, maar dat zei niets. Widdes humeur kon snel omslaan en dan was er ruzie.

't Beste was om Widde eerlijk te vertellen dat hij hem had gezien in die gokkamer. En dan maar afwachten hoe Widde reageerde.

Over die vrouw moest-ie maar niet praten, dan zou Widde zich verraden voelen door Geurt en Geurt moest hier buiten gehouden worden…

Er klonk gestommel op de trap en even later stond Widde midden in de deuropening.

Met lodderige ogen keek hij Arnie aan en waggelde naar een stoel.

„Wat aardig dat je op me wacht. Of is het controle," zei hij.

„Waarom controle," antwoordde Arnie. „Ik word altijd wakker als jij thuiskomt en nu was ik zelf laat."

„O… ben je eindelijk eens opgehouden het brave jongetje te zijn? Waar ben je heen geweest…"

„Naar 't Sliefje en daar zag ik jou."

't Was duidelijk te zien dat Widde schrok, maar hij hield zich

23

groot. „En…?" vroeg hij. „Wat wil je daarmee zeggen?"

„Je zat in de gokkamer, Widde, en van gokken is nog nooit iemand rijk geworden. Wel straatarm."

„Hoe weet jij dat. Jij komt nooit verder dan vaders broek en je zusters rok. Trouwens, hoe weet jij dat ik daar gok?"

„Ik zag je zitten toen het gordijn openging. Iemand zei toen: daar wordt gegokt."

Widde stond op en trachtte zich breed te maken. „En wat dan nog?" zei hij uitdagend. „Je denkt toch niet dat ik me hier kreupel blijf werken voor twee kwartjes per week? Dat jij zo stom bent moet jij weten, maar ik heb er genoeg van. Ik wil geld zien…"

„En denk je dat te krijgen door te gokken?", vroeg Arnie.

„Ja, ik wacht op m'n grote slag en zeg dan: saluut Leeuwerik-hoeve. Ik ga naar Amerika."

„Hoeveel heb je al gewonnen, Widde?"

„Voorlopig nog niks, maar dat komt wel."

„Ik hoop het voor je, maar als het beroepsgokkers zijn, zul je nooit winnen."

Widde maakte een afwerend gebaar en zei nijdig: „Zeg, broer, hou ik dat gezeur nog lang? Ik wil naar m'n nest en heb geen zin om door jou als een schoolkind te worden behandeld. Of denk je soms dat je hier de baas bent?"

„Dat weet je wel beter, Widde. Maar ik vind dat ik, als je broer, je best mag waarschuwen voor dat gokwereldje. Ik heb gehoord dat ze wel eens met gemerkte kaarten spelen."

„Allemaal praatjes waar ik niks aan heb," vond Widde en liet zich op z'n bed vallen. „Je doet me meer plezier als je me wat geld leent."

„Jou geld lenen?!" riep Arnie verbaasd, „waar moet ik dat vandaan halen?!"

„Ach…" antwoordde Widde smalend, „jij zal je twee kwartjes wel gespaard hebben. Jij komt niet verder dan de staldeur."

„Ik heb inderdaad wat gespaard," bekende Arnie, „maar ik heb niet veel zin om dat aan jou uit te lenen om je dan nog verder in het moeras te zien zakken."

„Wat moeras… niks moeras…" bralde Widde dronken en slaperig, „ik… wil… m'n… knopen… terug…"

24

„Knopen?! Waar heb je het over, Widde! Hee... Widde..." Maar Widde gaf geen antwoord meer. Hij sliep de slaap der zorgelozen en Arnie ijsbeerde door het kamertje en vroeg zich af wat Widde bedoelde met 'knopen terug'.

Ineens bleef hij staan en ging er een schok door hem heen. Widde zal toch niet... Mijn God... dat zal toch niet waar zijn? Widdes jasje! Waar was Widdes jasje! Bij het binnenkomen gooide hij iets in een hoek...

Daar lag het inderdaad en Arnie nam het mee naar het dakraam en in het licht van de maan zag hij waar hij al voor vreesde: Alle zilveren knopen waren er afgesneden. Knopen die al vier generaties aan het manlijk geslacht van de Ovinks waren overgedragen...

Wat een schande was dit! Wat een schande, vooral voor vader die altijd zo trots keek als hij en Widde op zondagochtend beneden kwamen in hun lange zwarte jassen met die prachtige knopen. Hoe moest dat zondag als ze naar de kerk gingen? Vader zou het onmiddellijk zien en anders Mijntje wel. Het hek zou van de dam zijn en dat moest voorkomen worden. Die knopen kwamen terug. Al moest-ie die kerels villen...

Het duurde lang eer Arnie sliep en hij voelde zich de andere ochtend verre van fit bij het opstaan.

Maar de ergernis over Widdes gedrag de laatste tijd had zich onbewust in hem opgestapeld en het feit van de verdwenen knopen had zijn humeur tot het nulpunt doen dalen.

Strijdvaardig gooide hij water uit de lampetkan over z'n hoofd en duwde z'n gezicht in de waskom...

Als Widde soms dacht dat z'n broer een juffershondje was, zou hem dat vandaag vies tegenvallen. Vandaag kwamen die knopen terug! Ongeacht hoe!'

Voor Arnie het slaapkamertje verliet gaf hij een schop tegen Widdes bed: „Hee, opstaan! Er moet gewerkt worden!"

In de keuken vergat hij Mijntje te groeten en keek zwijgend toe hoe zij zijn bord met gortepap vulde.

„Voel je je niet lekker?" vroeg ze.

„'t Gaat wel," antwoordde hij en vroeg: „Wachten we op vader met eten?"

„Nee, vader blijft nog even op bed."

„O, dan bid ik wel," zei Arnie en vouwde zijn handen. Terwijl hij hardop bad, gluurde Mijntje tussen haar wimpers door naar haar broer.

Er was iets met hem. Hij was te kortaf en z'n gezicht stond zo strak. Er moest iets zijn, maar wat. En dat zou wel een vraag blijven, want Arnie liet zelden iets los...

„Wie, voor de donder, haalt mij zo vroeg uit bed!" onderbrak Widde het gebed.

„Ik..." antwoordde Arnie zonder op te kijken.

„En met welk recht dan wel!"

„Met hetzelfde recht als waarmee jij elke middag je hielen laat zien."

„Aha...!" brieste Widde. „Jij gaat dus het baasje uithangen!"

„Helemaal niet, maar ik ben het beu om elke dag voor twee te moeten werken."

„Moet je maar niet zo stom zijn," vond Widde.

„Ik ben niet stom!" riep Arnie kwaad en liet z'n vuist met zo'n dreun op tafel komen dat de borden ervan rinkelden. „'t wordt hier met de dag gezelliger," merkte Mijntje op en verliet haastig de keuken.

„Gaat er iets niet goed, jongens?" vroeg vader Ovink die op het geruzie was afgekomen.

„We zijn het niet eens, vader," antwoordde Arnie.

„Nee... dat hoorde ik en daar ben ik niet zo gelukkig mee. Jullie zullen het werk goed moeten verdelen want er is nog veel te doen. En dat zeg ik vooral tegen jou, Widde. Want zoals het de laatste tijd gaat kan het niet blijven. We moeten het bedrijf samen draaiende houden en bij dat 'samen' hoor jij ook. Dus vanaf vandaag geen uitvluchtjes en uitstapjes meer. Jij moet hier evenveel uren werken als je broer en zus en als je daarna nog even je zinnen wil verzetten, heb ik daar niets op tegen. Maar daar zal vandaag weinig van komen. Het stro moet nog gebundeld en als er dan nog tijd over is kunnen jullie alvast beginnen met eggen."

„Het stro bundelen?!" riep Widde verontwaardigd. „Dat is toch geen doen in die benauwde schuur. En het wordt vandaag weer zo warm, dat kun je nu al voelen."

„Met dit weer is het overal warm, Widde. Denk maar eens aan je zuster die bij zo'n heet fornuis moet staan. Die hoor je toch ook niet klagen?"

„Maar ze kan ons best een handje helpen met dat bundelen."

„Dat gebeurt niet," zei vader beslist. „Mijntje heeft haar handen vol aan de huishouding. Bovendien verzorgt ze het varken en de geit ook nog. Ze houdt het erf schoon. Nee, over je zuster hebben we niets te klagen. Ik ben trots op haar. Dus, Widde, geen gemopper meer. Rol je mouwen op en ga aan de slag."

Zonder eten en zonder iemand nog een blik te gunnen, liep Widde de keuken uit en smeet de deur hardhandig dicht. In de schuur, die aan de keuken grensde, hoorde Arnie hem mokken maar dat kon hem niet van z'n voornemen afhouden om Widde aan te spreken over diens knopen.

Zwijgend werkten ze zij aan zij in een hoog tempo en het leek er opof beiden op die manier hun wrevel trachtten kwijt te raken.

Juist toen Arnie besloot Widde aan te spreken, was het Widde die de stilte verbrak. „Heb je er nog over nagedacht om me wat geld te lenen?" vroeg hij stug.

„Ik heb maar over één ding nagedacht, Widde. Die knopen komen terug. Ze behoren op ónze jassen te zitten en niet op die van een vreemde."

„Weet ik ook wel, dominee," antwoordde Widde scherp en spoog z'n uitgekauwde pruimtabak op de vloer.

„Ik heb geld nodig om m'n speelschuld te betalen, dan krijg ik de knopen terug. Ze wilden een borgstelling van me."

„Mooie lieden zijn dat," vond Arnie. „Hoeveel schuld heb je?"

„Zes gulden en drieënveertig cent."

„Zoveel!" riep Arnie geschrokken, „Dat is bijna drie maanden zakgeld!"

„Rekenen kan ik ook," zei Widde, „daar heb ik jou niet voor nodig. Mijn vraag is of je dat bedrag bezit. En zo ja… of je 't mij wil lenen."

„Ik heb zeven gulden en tien cent gespaard, Widde. Dus ik kan het je lenen."

„En wil je dat ook?"

„Ja, Widde. Ik wil je zes gulden en vijftig cent lenen. Van die zeven cent die over zijn kun je een nieuw stel kaarten kopen en zodoende aan de weet komen of ze je bedriegen."

„Ik kan het proberen," zei Widde ineens vriendelijker, „maar ik geloof niet in bedrog. 't Zijn aardige kerels. Ik heb gewoon pech met m'n kaarten."

„De tijd zal het leren," zei Arnie en verliet de schuur.

Op z'n kamertje haalde hij een oud blikken doosje uit de kast en telde op bed lange rijen muntjes uit, tot er zes gulden vijftig lag.

Hij had er lang voor gespaard met maar één doel voor ogen: een broche voor Mijntje als ze achttien werd. Die wilde ze graag sinds ze moeders broche verloren had.

't Zal er nu niet van komen, peinsde Arnie. Widde zou het geld nooit voor die tijd terug kunnen betalen. Maar misschien was het wel beter zo, want wat zou Widde... of vader... of de vriendinnen van Mijntje denken als ze zo'n dure broche had gekregen van een broer. Widde zou het zeker niet begrijpen en weer nare opmerkingen maken...

Toch was Widde geen verkeerde knul. Alleen, ze begrepen elkaar niet altijd even goed. Ze waren zo verschillend van karakter. En eerlijk was Widde ook. Hij zei de dingen ronduit. En ondanks z'n geldgebrek zou-ie nooit iets uit het doosje wegnemen, terwijl-ie wist waar het stond... Arnie knoopte het geld in z'n zakdoek en stopte het in Widdes jasje dat hij ver onder diens bed schoof.

Weer terug in de schuur zei hij: „Het geld zit in je jas en die ligt onder het bed. Mijntje moet de bedden nog opmaken, als ze dan je jas ziet is er narigheid."

„O ja, daar heb ik niet aan gedacht," antwoordde Widde. „Bedankt. Ook voor het geld. Ik betaal het zo gauw mogelijk terug."

„Dat weet ik, Widde en daar reken ik ook op. Ga vanmiddag maar naar die lui toe en regel de zaak."

„Hoe kan dat nou. Ik mag vandaag toch niet weg van vader?"
„Vader is vergeten dat de wagen naar de smid moet, Widde.
Dus als jij dat dan doet, begrijpt vader je afwezigheid."
„Prima geregeld," vond Widde, blij als-ie was dat-ie niet voor
de hele dag aan de schuur gekluisterd zat.
In de middag kwam hij terug. De wagen was gerepareerd en
de knopen zaten weer op z'n jasje.
Hij hing het in de kast en bekeek het op afstand. 't Zag er weer
keurig uit, dankzij Hanna. In nog geen kwartier hadden haar
rappe handen de knopen eraan gezet. Het was een lust
geweest om naar haar te kijken. En dat niet alleen om haar
handen: Hanna was een feest om te zien.
Een feest dat nooit een echt feest zou worden na haar 'nee' op
zijn toenaderingen.
Daarom deed het vanmiddag zeer toen ze zei: „Ik wist niet dat
je een broer had. Zeker niet zó een... Geurt bracht hem mee
maar hij was weer snel weg..."
Haar woorden waren een steek door z'n hart en hadden het
greintje broederliefde dat hij nog had uit hem weggezogen.
Akkoord... Arnie had hem geholpen, maar dat deed niets af
aan het feit dat-ie hem altijd voor de voeten liep.
Dat wicht van boer Brummer had vorig jaar ook al gezegd:
stuur je broer maar!
Je broer... Niks broer... Een stiekemerd was het! Een stiekemerd die de brave ziel uithing. De hielenlikker van vader. De
paaier van z'n zus. Een ongezonde knul die niet eens wist wat
een vurige meid wilde.
Wat zagen die wijven toch in zo'n vent?
Gelukkig was er nog een Edeline. Niet zo mooi en lieflijk als
Hanna. Ook niet zo zuiver van hart, maar wel een geweldige
vrouw. Een die wist wat een man toekwam. Bovendien hadden ze dezelfde idealen: rijk worden en Amerika! Wat dat
betreft zat het dus goed. Hoefde hij niet alleen te gaan. En dat
hij tien jaar jonger was dan Edeline... nou ja... dat ging niemand wat aan...

„Is het gelukt, Widde?" klonk het achter hem.
Het was Arnie, die z'n broer uit pure belangstelling even wilde

spreken en dat niet beneden wilde doen.

„Waarom zou het niet gelukt zijn?" vroeg Widde geïrriteerd.

„Zelfs zónder jou gaan de dingen nog wel eens goed."

„Nou… nou," suste Arnie, „wind je niet zo op. Ik stel toch een gewone vraag."

„Voor jou wel, maar mij erger je ermee. En nu kom je me zeker weer halen om te bundelen."

„Nee, ik kom juist zeggen dat het bijna klaar is. Ik maak de rest wel af en stel voor dat jij dan Ploos uit de wei haalt."

„Als ik maar geen Frouke voor m'n eg krijg," sputterde Widde, „ik vind het een rotpaard."

„Hoe kom je daar nou bij, Widde. Frouke is een heel goed paard. Ze is eigenzinnig, dat wel. Maar met een beetje geduld en een vriendelijk woord doet ze alles voor je."

„Ik moet 'r niet," sprak Widde tegen. „Ik vind 'r een stiekemerd… net als…"

Widde maakte z'n zin niet af en liep z'n broer voorbij alsof die niet bestond.

Wat beteuterd bleef Arnie achter en vroeg zich af op wie Widde doelde toen hij zei 'net als'.

Vond Widde hem een stiekemerd? En waarom dan wel en waarom ging het toch altijd mis tussen hen beiden?

„Arnie!!" Het was Mijntje die hem riep en hij liep de trap af op weg naar de keuken waar hij Geurt aantrof. 't Was meteen een stuk gezelliger. Geurt had z'n harmonica meegenomen en terwijl Mijntje de koffie met kandij uitdeelde, speelde Geurt er vrolijk op los. Zelfs vader kwam erbij zitten. Hij schilde de aardappelen en wiegde zachtjes mee met de muziek.

HOOFDSTUK 3

Het was herfst en een zware storm joeg de bladeren tot grote hopen op het erf van de Leeuwerikhoeve.

De boomtoppen kromden zich in het geweld en de luiken van de ramen kraakten en piepten in de scharnieren.

In de keuken van de hoeve bulderde de wind door de schoorsteen en de vonken sprongen uit de kachel zodra deze werd bijgevuld.

„'t Is noodweer," vond Arnie en schoof de krant terzijde. „Zeg dat wel," antwoordde Mijntje. „Ik ben altijd een beetje bang als het zulk weer is. Dan denk ik: als het dak er maar niet afwaait."

„Daar hoef je niet bang voor te zijn," stelde Arnie hun gerust. „De hoeve is goed gebouwd en overleeft al bijna honderd jaar alle stormen. Maar dat neemt niet weg dat het dak enige mankementen vertoont. Het riet is aangetast en moet nodig vernieuwd worden. Op zolder heb ik een paar teiltjes neergezet omdat het lekt en dat was verleden jaar ook al zo. Vader heeft het toen aan de rentmeester laten zien, maar die haalde z'n schouders op en zei: „Zo'n rieten dak vernieuwen kost honderden guldens, Ovink, en daar zit meneer Buwalda niet op te wachten. En áls hij het laat doen dan zal het pachtgeld wel omhooggaan..."

„Als de rentmeester volgende maand om het pachtgeld komt, zal ik het daar toch wel eens over willen hebben. Ik heb van de week de pachtovereenkomst nog eens doorgelezen en daar staat in dat de pachter de hoeve naar behoren dient te bewonen, maar dat reparatie en onderhoud voor rekening van de verpachter zijn. Dus er klopt iets niet. En ik heb wel een vermoeden waar de schoen wringt: meneertje Buwalda wil ons op die manier de voet dwars zetten."

„Om welke reden dan?" vroeg Mijntje en legde haar breiwerk neer.

„Meneer Buwalda heeft allang geen zin meer in ons, Mijntje. Hij ziet ons nog liever vandaag dan morgen vertrekken. Dan knapt-ie de hoeve op, zet er een goedkope knecht in en neemt een stel dagloners in dienst.

Die smijt-ie er weer uit als de oogst binnen is en meneertje z'n winst is verdubbeld en daar gaat het allemaal om bij hem. Enige menselijkheid is die man volkomen vreemd. En die rat die hij in dienst heeft, is al net zo. Maar ze moeten niet denken dat wij ons zomaar gewonnen geven. O nee. Dat nooit en als die rat komt zal ik hem ook eens die rotte kozijnen laten zien. Ik heb er van 't voorjaar verf opgesmeerd, maar er is geen redden aan. Ze zijn gewoon weggerot en daarmee uit."

„'t Is treurig dat er zulke mensen zijn," zuchtte Mijntje. Ze stond op en liep naar de bedstee in de hoek van de keuken. De slaapplaats was oorspronkelijk bestemd geweest voor de keukenmeid, maar de familie Ovink had hem altijd als kastruimte gebruikt.

Omdat vader Ovink niet meer van bed kwam en Mijntje het voor haar vader te koud en te eenzaam vond in de tussenkamer, hadden Arnie en Widde de kast weer omgebouwd tot bedstee.

„Hij slaapt nog steeds," zei Mijntje zachtjes, „maar hij ziet zo akelig wit, Arnie. Het gaat niet goed met vader. Geloof me, het gaat niet goed..."

Ze sloeg de schort voor haar gezicht en begon stilletjes te huilen.

Arnie keek naar haar en wist niets te zeggen. Geen woord van troost schoot hem te binnen. Mijntje zag het immers goed, wat viel er dan nog te zeggen. Arme Mijntje, 't was allemaal zo triest de laatste tijd. Vooral voor haar.

Haar achttiende verjaardag was geruisloos voorbijgegaan. Niemand op bezoek, dat was te druk voor vader.

Van vader had ze een gulden gekregen en van hem een tipdoekje. Ze was er erg blij mee geweest en droeg het elke dag. Vaak keek ze in de spiegel en dan glommen haar ogen. Dat was fijn om te zien. Ze verdiende het ook, want ze werkte hard. Op haar twaalfde stierf moeder en moest ze het huishouden doen. In 't begin hielp vader haar, maar na enige tijd was dat niet meer nodig en wilde ze het zelf doen, koppig als ze was. En ze deed het goed. De man die Mijntje mocht liefhebben was te benijden. 't Was te hopen dat hij haar op handen zou dragen, dat verdiende ze en gunde hij haar ook van harte, ondanks het nare gevoel dat ook nu weer vanuit z'n borst omhoogsteeg en z'n keel dichtsnoerde. Net als vier jaar geleden toen ze samen op de boerenwagen zaten op weg naar huis. Nooit zou hij die dag vergeten.

Vader en Widde waren naar de jaarmarkt en hij stond op de akker te wieden toen Mijntje huilend en roepend naar hem toe kwam rennen, zich op de grond liet vallen en alsmaar riep: „Arnie, ik bloed! Ik bloed! Ik ga dood, Arnie. Ik ga dood! Help me, help me! M'n ondergoed zit vol bloed!" Verstijfd had hij naar haar wit gezicht gekeken en naar haar bange ogen. Ineens had hij beseft dat er iets ergs aan de hand was met Mijntje en dat hij moest handelen. In paniek had hij de boerenwagen gehaald en haar voorzichtig op een paar dekens gelegd. Hij had Frouke opgejaagd tot het uiterste om maar op tijd bij de dokter te zijn. Wel tien keer was hij gestopt om te kijken of Mijntje nog leefde. Met haar gepraat en haar gezicht gestreeld.

Halverwege de helse rit was hij een andere weg ingeslagen. De dokter woonde te ver weg, dan was het misschien te laat. Dan maar naar Plaggemientje, maar die was niet thuis.

Uit wanhoop had hij toen voor de baker gekozen, ondanks vaders verbod om daar te komen vanwege de drankzucht van die vrouw.

Waggelend was ze hun voorgegaan naar een klein kamertje met een bed. Had hem daarna weggestuurd naar de keuken waar hij moest wachten. En dat wachten leek uren te duren totdat hij eindelijk hun voetstappen hoorde en Mijntjes gebabbel.

Hij was ongeduldig op hen toegelopen met een hoofd vol vragen, maar de baker had hem tot zitten gecommandeerd en tot het drinken van een glas bessenjenever op de goede afloop. „Niks aan de hand, Ovink," had ze tussen twee teugen door gezegd. „Je zus is volwassen geworden. Zonde van een jongen als jij dat je zo weinig verstand hebt van vrouwen."

Hij had een dieprode kleur gekregen, die hij nog voelde als hij eraan terugdacht. Zich onnozel gevoeld en gekwetst omdat ze dat zei waar Mijntje bij was.

Bij de deur was ze met haar hand door z'n haar gegaan en had ze gezegd dat hij altijd welkom was als hij zich verveelde. Dan zou ze hem eens vertellen hoe hij haar had laten schrikken bij z'n geboorte...

Op weg naar huis had Mijntje weer praatjes voor tien gehad en vond dat ze hem alles moest uitleggen. Want de baker had gezegd dat ze nu geen meisje meer was maar een vrouw. Dat het bloeden elke maand zou terugkomen, totdat ze met een man in bed had gelegen en een kind van hem moest krijgen. Dan bleef het bloeden weg tot het kind er was.
Ze zou nu ook dikkere borsten en heupen krijgen en dat wilden mannen graag...
Hij had het zwijgend aangehoord. Zich geërgerd aan zo'n uitleg over de liefde. Terug willen rijden naar de baker om haar te zeggen dat ze dat soort praatjes maar voor zich moest houden omdat die niet pasten bij een meisje als Mijntje.
Maar hij was doorgereden met hetzelfde akelige gevoel in z'n borst als nu...
Vanuit de bedstee klonk gekuch en Mijntje veegde haastig haar tranen weg. Samen met Arnie liep ze naar de bedstee en schoof het gordijntje opzij.
„Gaat het, vader?" vroeg ze. „Wilt u iets eten?"
„Dank je, kind, ik heb geen trek."
„Een beetje melk dan," drong Mijntje aan. „Ja, dat is goed," zei vader.
Arnie hees z'n vader voorzichtig wat omhoog en duwde een kussen achter diens rug.
Half zittend nam de zieke een paar teugjes van de geitenmelk en legde z'n hoofd weer terug op het kussen.
Op dat moment kwam Widde thuis.
Hij werd als het ware naar binnen geblazen en kreeg de deur met moeite dicht.
„Wat een hondenweer," foeterde hij. „Je kan niet op je benen blijven staan en er valt nog natte sneeuw ook."
„Ja, 't is bar," antwoordde Arnie en bracht de olielamp weer in balans die bij de binnenkomst van Widde was gaan slingeren.
„Zou het niet beter zijn als we de luiken sluiten?" stelde

Mijntje voor. „Dat geeft een veiliger gevoel."

„Van mij mag je," zei Widde, „maar ik ga er niet meer uit." „Dan doe ik het wel," zei Arnie.

Hij nam een stormlamp mee en ging naar buiten.

Nadat hij de luiken gesloten had, keek hij nog even door het raampje van de paardenstal.

Ploos en Frouke stonden er rustig bij. De storm leek hun niet te deren.

Op weg naar de keuken bleef hij even staan. 't Was net of hij een stem hoorde. Hij liep enige stappen terug, hield de lamp omhoog en tuurde door de duisternis heen het erf af. Niets te zien. 't Zal de wind geweest zijn!

Terug in de keuken vulde Mijntje de borden met gortepap en zwijgend aten ze hun laatste maaltijd van die dag, totdat Mijntje zei: „Ik hoor iemand roepen."

„Dat dacht ik zo-even ook toen ik buiten was," antwoordde Arnie, „maar het is de wind."

„Ja," mengde Widde zich in het gesprek: „Als je de wind door de schoorsteen hoort gieren, is het net een oud wijf die nog probeert te zingen."

„Ik hoor het weer," zei Mijntje en stond op.

„Jij gaat niet naar buiten, Mijntje," zei Arnie gebiedend. „Ik ga wel, maar je zult zien dat er niemand is."

Kort daarna was hij terug en zei gejaagd: „Widde, kom eens gauw, er ligt iemand bij het hek."

„Zie je wel," zei Mijntje. „Heb ik het toch goed gehoord."
Samen holden de broers naar buiten.

„'t Is een marskramer," hijgde Widde toen ze bij het hek waren.

„Zo te zien wel," antwoordde Arnie, „de mand zit nog op z'n rug."

Samen bogen ze zich over de man heen en Arnie vroeg: „Bent u gewond?"

„Nee, ik dacht van niet, maar de keien zijn glad en dan die wind. Ik kon niet overeind komen met die vracht. Ik gleed steeds weer weg."

„We zullen u helpen," zei Widde en tilde man en mand in één keer van de grond.

„Haal jij die mand van z'n rug," gebood hij Arnie.

Ze brachten de marskramer de keuken binnen en zetten hem op een stoel.

„Heel veel dank," zei de man met een lange zucht. „Heel veel dank. Ik was al bang dat ik daar de hele nacht moest blijven liggen. De eerste keer hoorde u me niet."

„Dat is waar," gaf Arnie toe. „Maar waarom gaat u met zulk weer op pad, daar bent u toch veel te oud voor?"

„Dat is juist, jongeman, dat is juist. Ik ben oud en weet niet hoeveel tijd ik nog heb. Daarom dacht ik: Nu moet je het doen, nu kun je nog redelijk lopen."

„U moet niet zoveel praten," vond Mijntje. „U moet even uitrusten en droge kleren aantrekken, anders wordt u ziek. Ik zal wat kleren van m'n vader halen."

„Goed hoor kind, je bent beter voor me dan ik verdien."

„Is er bezoek, jongens?" klonk de zwakke stem van vader. „Ja vader, we hebben een marskramer binnengebracht. Hij is gevallen en zit even bij te komen", zei Mijntje.

„Goed zo, kinderen, geef hem wat uit de fles en zorg voor een bed."

„Ja vader."

Nadat de bezoeker droge kleren aanhad, zette Mijntje hem een glas brandewijn voor die hij met bevende hand in twee teugen leegdronk.

Het vocht bracht weer wat kleur op z'n verweerd gezicht waardoor Mijntje dorst te vragen: „Wat heeft u zoal te koop, want daar kwam u toch voor?"

„Nee kind, daar kom ik niet voor. Ik kom voor heel iets anders. Iets wat de laatste jaren steeds meer aan m'n ziel vreet. Want jullie weten het nog niet, maar jullie hebben een slecht mens binnengehaald."

„Daar geloof ik niks van," wierp Mijntje tegen. „Wacht maar af, kind. Ik ben nog niet uitverteld", zei de man.

De drie keken elkaar vragend aan en Mijntje schonk het glas van de man nog eens vol.

Hij nam een flinke slok en vroeg: „Dit is toch de Leeuwerikhoeve, hè?"

De drie knikten instemmend en de man slikte een paar keer voor hij vervolgde: „'t Zal zo'n twee- of drieëntwintig jaar geleden zijn dat ik op bezoek ging bij m'n zieke zuster in Groningen. Ik had de gewoonte opgevat om altijd mijn mand mee te nemen als ik op reis ging, want onderweg viel dikwijls wat te verdienen en dat geld had ik hard nodig met een vrouw en zeven kinderen.

Op de terugweg werd ik geplaagd door zware sneeuwval en ik besloot een kortere weg te nemen om zodoende voor het invallen van de duisternis in een herberg te zijn. Daardoor moest ik de begaanbare weg verlaten en dwars door bos en heide lopen. Maar ik had geen keus.

Na ongeveer een halfuur te hebben gelopen, bemerkte ik dat ik werd gevolgd door een rijtuig met twee paarden. Ik stak mijn hand op om mee te mogen rijden, maar daar werd niet op gereageerd.

Toen ik op een open plek in het bos was gekomen, keek ik nog eens om en zag dat de man op de bok me wenkte. Ik liep naar hem toe in de veronderstelling dat ik mee mocht rijden, maar toen ik de kar dicht genaderd was, kreeg ik argwaan. De man was geheel in het zwart gekleed, droeg een zwarte hoed en had een zwarte sjaal voor z'n gezicht zodat alleen zijn ogen zichtbaar bleven.

Hij wenkte me nogmaals en schudde met een zak munten. Dat maakte me nieuwsgierig, want ik heb een zwak voor geld.

Ik liep naar hem toe en hij klom van de bok met een mand in z'n hand die hij op de grond zette.

Hij maakte de geldbuidel open, leegde hem voor m'n voeten en zei op bitse toon: „Tweehonderdvijftig gulden als je de mand meeneemt. Ja of nee!"

Ik staarde perplex naar de munten. Zoveel geld had ik nog nooit bij elkaar gezien. Ik kneep nog in m'n arm of ik soms droomde, maar nee... 't was waar.

„Ja of nee!" snauwde de man weer en keek daarbij schichtig om zich heen alsof-ie bang was betrapt te worden.

Ik stamelde een bevestiging en omdat ik bang was dat mijn kapitaal ondersneeuwde, begon ik het haastig op te rapen.

Halverwege keek ik even op en ontdekte ineens dat ik alleen was. Ik was zo opgegaan in mijn plotselinge rijkdom, dat ik man noch koets heb zien vertrekken. Pas toen ik de geldzak veilig had weggestopt, werd ik nieuwsgierig waarom die mand zo duur betaald werd.

Ik opende hem en even leek het of m'n hart stilstond. Er lag een kind in. Een baby van hoogstens twee dagen oud. Ik had genoeg ervaring om dat te kunnen zien.

Het kind sliep en zag er goed verzorgd uit met mooie kleertjes. Het had zelfs een warm kruikje aan de voeten en een dikke deken om.

Geheel van streek vroeg ik mezelf af waarom ik niet eerst in die mand had gekeken maar voor het vele geld bezweken was.

Vol zelfverwijt vervolgde ik m'n weg door de sneeuw met twee manden en peinsde me onderwijl suf waar ik met het kind heen moest.

Mee naar huis nemen kon niet, want dan moest ik m'n vrouw de waarheid vertellen en ik wist zeker dat ze dan op me zou spugen.

Mijn vrouw is zeer vroom en niet voor geld te koop.

Ik ben zakelijker, maar ondanks dat bad ik onderweg tot God om vergeving te vragen en een goed onderkomen te vinden voor het kind.

Het verbaasde me inmiddels dat het kind zo stil bleef onderweg, dus opende ik de mand om te zien of het nog leefde. Het leefde en was in diepe slaap, maar toen ik aan de zuigdot rook, begreep ik het. De dot was in de brandewijn gedoopt.

Ik was er wel blij mee, want wat had ik moeten beginnen met een huilend kind in een herberg?

Nadat ik zo'n anderhalf uur gelopen had, begon het kind ineens te huilen en ik begreep dat ik zo niet naar een herberg kon. Ook begreep ik dat ik de stakker niet lang meer bij me kon houden. Het had voeding, verschoning en warmte nodig.

Toen ik op een heideveld een schaapskooi zag, besloot ik daarin te verblijven tot diep in de avond om daarna, bij het eerste woonhuis dat ik tegen zou komen, de mand achter te laten. Het klinkt hardvochtig en dat is het ook, maar ja… het feit lag er en ik moest het kind kwijt.

Toen ik die avond de schaapskooi verliet, lag de sneeuw al minstens een halve meter hoog en ik vervolgde moeizaam m'n weg totdat ik eindelijk in de verte een hoeve zag waar het licht nog brandde. Dat betekende immers dat de bewoners nog niet op bed lagen en dat was gunstig voor het kind.

Voorzichtig opende ik het hek en ondanks de duisternis kon ik de witte letters op het hek lezen. 'Leeuwerikhoeve' stond er en die naam spookt nu al jaren door m'n hoofd. Niet om de naam maar om het kind. Heeft het kind het overleefd of niet? Dat is wat ik wil weten en daarom heb ik op m'n ouwe dag deze lange tocht ondernomen. Morgen kan het misschien niet meer..."

De marskramer zweeg en de anderen, die hem ademloos hadden aangehoord, zwegen ook en keken elkaar met vragende ogen aan.

En uiteindelijk was het de marskramer die de doodse stilte verbrak en gejaagd vroeg: „En...? Weten jullie iets van dit tragisch gebeuren af...? En zo ja, waarom zeggen jullie dan niets. Is het soms slecht afgelopen met het kind? Zeg het me... Zeg het me... alstublieft...!"

„Daar kunnen mijn kinderen u geen antwoord op geven..."

Het was de stem van vader Ovink die sprak en alle vier keken naar de bedstee waar vader Ovink zich moeizaam overeind worstelde en z'n hoofd in z'n handen begroef. „O God..." kreunde hij, „o God, wat vreselijk is dit..."

Geschrokken staarden de kinderen naar hun vader die geheel overstuur leek en toen Arnie als eerste opstond, volgden ze hem naar de bedstee.

„Wat is er, vader?" vroeg Arnie. „Waarom bent u zo van streek. Vertel het ons, misschien kunnen wij u helpen."

„Nee, jongen, dat kunnen jullie niet. Niemand kan mij helpen, alleen God kan dat. Daar hoop ik op... Daar hoop ik op. Hij kent mijn leven en het geheim dat ik mee had moeten dragen tot in m'n graf. Zo had ik het jullie moeder beloofd. Maar nu... nu wordt alles mij uit handen geslagen. Nu moet ik spreken. De waarheid zeggen. Het kind vertellen dat het mijn kind niet is... Dat is erger dan wat ook, vooral voor het kind. Begrijpen jullie dat, kinderen?"

Lijkbleek mompelden de drie iets onverstaanbaars maar in hun ogen stond de brandende vraag: 'Wie, vader. Wie van ons drieën...'

Toen hun vader even naar adem hapte en zich terug liet zakken in de kussens, was niemand in staat de doodse stilte te verbreken. Zelfs de marskramer staarde roerloos voor zich uit en vroeg zich ineens af of het niet beter was geweest als hij de zaak had laten rusten. Tegelijkertijd begreep hij dat het voor die overweging te laat was en hij nu moest toezien hoe de zieke worstelde met zijn verleden.

Vader Ovink trachtte weer overeind te komen en wenkte Arnie bij zich.

Het waren vaders smekende ogen en de tranen die erin blonken, waardoor Arnies knieën ineens knikten.

Als een lappen pop liet hij zich op de rand van de bedstee zakken en toen hij vaders armen om zich heen voelde, leek het bloed uit hem weg te stromen en snikte hij: „Dus... ik... vader..."

Hoelang hij tegen z'n vaders borst heeft gelegen zou Arnie zich nooit meer herinneren, wél het gevoel waarmee hij opstond van het bed en de keuken rondkeek. Alles leek veraf en wazig en hij liet zich door Mijntje op een stoel zetten alsof het een ander betrof.

„Drink maar eens uit," hoorde hij haar zeggen.

Hij deed het en voelde iets branderigs in z'n keel. Het vocht bracht z'n maag in beroering en hij rende naar buiten om over te geven.

De wind bulderde nog altijd rond het huis en joeg door zijn kleren, maar Arnie voelde niets.

Met z'n hoofd op z'n armen leunde hij tegen de muur, totdat Widde hem kwam halen omdat vader naar hem vroeg.

„Alles is nog niet gezegd, kinderen," begon vader Ovink toen de drie weer bij hem zaten, „en ik vind dat jullie het hele relaas behoren te weten. Vooral jij, Arnie." Hij pakte Arnies hand en zei meewarig: „Het spijt me zo, jongen. Het spijt me meer dan ik kan zeggen. Dit had je nooit mogen weten. Maar ja... de mens wikt en God beschikt. Weet echter wel dat je moeder en ik altijd veel van je hebben gehouden. Net zoveel als van de andere kinderen."

„Dat weet ik, vader," zei Arnie, „en voor mij zal u altijd mijn vader blijven en moeder mijn moeder. Maar ik..."

„Zeg maar niets meer, jongen. Ik begrijp hoe je je voelt en juist dát had ik je zo graag willen besparen. Het is me niet gelukt en nu moeten jij en ook de anderen de hele toedracht weten van de nacht dat je in ons leven kwam.

Het was de nacht dat je moeder moest bevallen van ons eerste kind. Ze had voordien twee miskramen gehad en de hoop op kinderen al opgegeven. We waren dan ook zeer gelukkig dat ze ditmaal het kind mocht voldragen en hadden, om alle risico uit te sluiten, de baker vroegtijdig laten komen.

Maar ondanks alle zorg sloeg het noodlot toe: ons kindje stierf kort na de geboorte. Groot was ons verdriet, vooral dat van jullie moeder. Ze leek ontroostbaar. Zelfs de baker wist zich geen raad met haar en verliet dan ook snel ons huis met de mededeling dat ze de volgende morgen terug zou komen om het kind af te leggen.

En zo bleef ik achter met moeder die alsmaar huilde en zei dat het leven geen enkele zin meer voor haar had. Al mijn troostwoorden gingen langs haar heen en dat was begrijpelijk.

Ten einde raad ben ik maar naast haar gaan liggen en sloeg m'n armen om haar heen in de hoop dat ze in slaap zou vallen van vermoeidheid, want de bevalling was zwaar geweest.

Ik was al wat weggedommeld toen ze me ineens beetgreep en riep: „Het kind! Ik hoor ons kind huilen! Het leeft! Ons kind leeft, hoor je wel?!"

Ik luisterde, maar hoorde niets en zei haar dat ze het zich verbeeld had. Maar je moeder hield vol en stapte uit bed. Ik volgde haar en bracht haar naar de wieg met ons dode kindje erin.

„En toch hoor ik het," hield ze vol en ineens hoorde ik het ook en zei ongelovig: „Je hebt waarachtig gelijk, vrouw. Maar het komt van buiten."

Ik deed de voordeur open en daar stond een mand met een huilend kind erin. Ik bracht het binnen als in een droom.

Het was zo onwezenlijk, dat we beiden even geen woord wisten uit te brengen.

We hielden het om beurten vast waarna moeder aan tafel ging zitten en het kind de borst gaf. Toen ze het daarna een schone luier omdeed riep ze: „Kijk, Lobbe, 't is een jongetje, net als ons eigen kindje. En het heeft nog donker haar ook. Wat een wonder, hè Lobbe? Wat een wonder..."

Ik knikte instemmend maar langzaamaan begon bij mij de waarheid door te dringen: We hadden een vondeling in huis en dat moesten we melden. Maar ik zag aan jullie moeder dat zij het anders beleefde. Ze was binnen enkele minuten volkomen veranderd.

De wereld om haar heen leek vergeten. Haar verdriet ook. Ze verzorgde en knuffelde het kind en drukte het tegen zich aan of ze het nooit meer los wilde laten. Koortsachtig zocht ik naar de juiste woorden om haar zo voorzichtig mogelijk te vertellen dat we het jongetje niet konden houden. Dat zoiets bij de wet is verboden.

„Zorg er maar goed voor, lieve," zei ik op een gegeven moment, „het kind heeft morgen een lange reis voor de boeg."

Ze schrok zichtbaar en zei: „Waar moeten we dan naartoe?"

„Jij hoeft nergens naartoe, lieve," antwoordde ik, „jij bent nog kraamvrouw. Maar ik moet morgen aangifte doen van dit kind. 't Is een vondeling en daar ontfermt de staat zich over..."

Moeders reactie was nog erger dan ik verwachtte. Ze legde het kind op bed en kwam als een furie op me af. „De staat?!" gilde ze, „... de staat...?! Ik heb niets met de staat te maken. God ontneemt ons een kind en God geeft ons een kind! Dat is gerechtigheid Gods en daar kan niemand een speld tussen krijgen. Hoor je me? Niemand haalt dit kind hier weg...!"

Ik heb gepraat en gepraat om haar tot andere gedachten te brengen, maar niets hielp.

Moeder dreigde zelfs me te verlaten als ik aangifte deed.

Ik vroeg haar of ze een andere oplossing wist.

Die wist ze niet en ik kreeg de indruk dat het haar ook niet interesseerde. Zij had haar felbegeerde kind en daar hield alles mee op.

Uiteindelijk bezweek ik onder de druk van het moment en besloot ik ons kindje stiekem te begraven en de vondeling aan te geven als zijnde ons eigen kind.

Het werd een lange, afschuwelijke tocht. In de duisternis van de nacht en met het dode kind in m'n armen, ging ik op weg naar het Elzenbos.

God alleen weet hoe ik mij toen gevoeld heb.

De verlatenheid die me overviel toen ik het kindje toedekte met aarde en sneeuw.

Ik heb lang bij het grafje gestaan en gehuild.

Het kind om vergeving gevraagd voor de oneerbiedige plek en voor het ontbreken van een stichtelijk woord van de dominee. Geen grafsteen...

't Was een vreselijke nacht die me altijd bij is gebleven.

Eenmaal weer thuis, wachtte ik het daglicht af om te zien of m'n voetsporen nog zichtbaar waren in de sneeuw.

Het lot was me hierin echter welgezind. De zware sneeuwval had al het kwaad gewist.

Toen de baker 's morgens kwam en een gezond kind in de wieg aantrof, sloeg ze snel drie kruisje en vluchtte weg met de woorden dat er duivelse krachten in ons huis rondwaarden.

Ik heb me na die nacht nooit meer echt gelukkig kunnen voelen. Er stond iets tussen mij en het geluk in. En dat is zo gebleven tot de dag van vandaag.

Als een soort misdadiger zal ik voor Gods troon moeten verschijnen en dat zal mijn laatste en zwaarste tocht worden.

Maar God is groot in zijn Goedheid en in zijn Liefde voor de mens. Ook voor de slechtere. Halleluja... loof... den... Heer..."

Deze laatste woorden werden fluisterend en hortend door vader Ovink uitgesproken terwijl hij in de kussens terugzakte. Hij leek uitgeput en uit zijn gesloten ogen zochten de tranen zich een weg over zijn ingevallen wangen.

Lang klonken vaders woorden nog na bij de drie rond de bedstee.

Ze leken allen in diepe gedachten verzonken en duidelijk geëmotioneerd.

Widde kauwde heftig op z'n pruimtabak, Mijntje huilde onhoorbaar en Arnie wreef voortdurend z'n kin.

Achter hen klonk een doffe dreun.

Geschrokken keken ze om en zagen de marskramer op de

vloer liggen. Ze waren zijn aanwezigheid helemaal vergeten en z'n val van de stoel bracht hen terug bij de werkelijkheid.

Widde stond op en trachtte de man weer op de been te krijgen, maar die hing als een zoutzak in z'n armen. „Stomdronken," zei Widde en wees naar de lege fles op tafel.

„Ik haal mijn matras wel naar beneden," opperde Arnie, „dan hoeven we de man niet naar boven te dragen."

„En waar slaap jij dan?" vroeg Mijntje. „Dat zie ik wel", zei Arnie.

In een hoek van de keuken werd de marskramer op een matras gelegd en toegedekt.

De bedrijvigheid rond hun gast maakte de tongen bij de drie weer wat losser en nadat Mijntje nog een bezorgde blik op haar vader wierp, sloot ze de gordijntjes van de bedstee en zei zacht: „Ik zal eens koffie gaan zetten, daar zullen jullie wel trek in hebben."

„Ik niet, Mijnt je," zei Arnie. „Ik ga de frisse lucht opzoeken."

„Met dit weer?!" vroeg Mijntje geschrokken. „Hoe haal je 't in je hoofd. Je loopt nog een kou op."

Maar Arnie had geen oor voor haar bezorgdheid. Hij pakte z'n jas en liep naar buiten, hoofdschuddend nagekeken door Mijntje.

„Kun jij hem niet terughalen, Widde?" zei ze even later terwijl ze een kroes met koffie naar hem toe schoof. „'t Is buiten aardedonker, je ziet heg noch steg. Als-ie verdwaalt en bij het moeras komt…"

„Stel je niet zo aan," antwoordde Widde kribbig. „'t Is geen klein kind, hoor."

„Dat weet ik, Widde, maar hij is van streek, dat begrijp je toch wel?"

„Nee, dat begrijp ik niet, zoals ik zoveel dingen van hem niet begrijp. Daarom sta ik er ook niet van te kijken dat hij geen Ovink is. Ik vond hem altijd al een vreemde snoeshaan."

„Foei, Widde," viel Mijntje verontwaardigd uit, „je moest je schamen voor zulke taal. Arnie is een goeie broer voor ons, dat kun je niet ontkennen en dat hij nu uit z'n doen is, is heel menselijk. Hoe zou jij het vinden als je hoort dat je ouders niet je ouders blijken te zijn?"

Widde haalde z'n schouders op. „Ik zou daar geen punt van maken. Op een dag vlieg je uit en ga je je eigen weg. Wat maakt het dan uit of je vader en moeder wel of niet 'echt' zijn. Een koekoeksjong wordt ook door andere vogels grootgebracht en hij jubelt er echt niet minder om."

„Laten we er maar over zwijgen, Widde. Ik vind dit niet het juiste moment voor een discussie. Er zijn in ons gezin heel erge dingen gebeurd. Daar heb ik het moeilijk mee en Arnie ook. Dat weet ik zeker. Trouwens, jou zullen deze gebeurtenissen toch ook niet onberoerd laten. Jij hebt toch ook gezien hoe moeilijk vader het had en hoe ziek-ie eigenlijk is."

„Dat wel," vond Widde, „en dat is erg voor hem, maar die andere zaken kan ik gelukkig makkelijk van me afzetten..."

Mijntje gaf geen antwoord meer. Ze schonk de koffie uit en tuurde door het keukenraam de duisternis in.

Waarom was ze niet met Arnie meegegaan, dan had ze met hem kunnen praten. Begrip kunnen tonen voor zijn gevoel. Nu zwalkte hij alleen in nacht en ontij... En waarheen...?

O Heer, breng hem veilig thuis. Ik voel me zo ellendig als hij er niet is...

Nadat Widde naar bed was gegaan, wachtte ze nog uren op Arnies terugkomst, totdat de vermoeidheid het won van haar ongerustheid en ze aan tafel in slaap viel. Niet lang daarna keerde Arnie terug van zijn tocht door bos en heide. De storm was enigszins gaan liggen. Ook in zijn hart. Het gevecht tegen de wind had iets van zijn opstandige gevoelens weggenomen, maar het lege gevoel was gebleven. Het gevoel dat zijn bloed geen Ovinkbloed was. Het akelige gevoel om te zijn verkocht zoals men dat met vee doet.

Daar zat de pijn!

De liefde waarmee hij door vader en moeder Ovink was omringd, verflauwde erdoor. Het behaaglijke gevoel om bij zo'n harmonisch gezin te behoren, was ineens weg. En dat gaf ook weer een strijd, want dat hadden vader en moeder niet verdiend.

Maar waarom kwamen die nare gedachten dan toch in hem

boven? Waarom die opstandigheid? Was hij dan zo'n on-dankbaar joch?

Vader had immers voor hém geleden. Voor hém een strafbaar feit gepleegd. En was dit dan vaders loon? Alles kon immers blijven zoals het was? Waarom dan toch die teleurstelling en woede in z'n hart? O God, laat me tot andere gedachten komen. Laat ze niet bij me invreten. En als straks de nieuwe dag aanbreekt, ga ik naar vader om m'n dankbaarheid uit te spreken voor het goede leven dat ik bij hem had en heb…

Arnie opende de paardenstal en stak een stormlamp aan. Hij spreidde een baal stro op de stalvloer uit, pakte een paarden-deken en ging liggen.

Na lang woelen viel hij uiteindelijk in slaap, maar de slaap was kort. Niet omdat het daglicht binnenviel, maar door Frouke die zijn aanwezigheid rook en over de vloer ging schrapen.

Slaperig stond hij op en gaf de paarden voer en water. Na zich opgefrist te hebben bij de regenput, sloop hij zachtjes de keuken in.

„Mijntje?!" fluisterde hij geschrokken, „wat doe je hier. Ben je ziek?!"

Bij het horen van zijn stem was Mijntje meteen wakker. Ze sprong op en sloeg haar armen om z'n hals. „O… wat ben ik blij dat je er bent. Ik was zo ongerust en bang dat je iets over-kwam…"

„Dat spijt me voor je," zei Arnie oprecht. „Ga maar gauw naar je bed en slaap nog een paar uurtjes. Ik zorg voor de kachel en de pap."

Met een zweem van blijdschap op haar gezicht zocht Mijntje haar kamertje op en Arnie deed wat houtblokken in de kachel. Daarna liep hij op z'n tenen naar de bedstee maar bleef hal-verwege staan en keek naar de lege matras in de hoek van de keuken.

De marskramer was vertrokken. Zijn korf ook. Wat vreemd om er zo stilzwijgend vandoor te gaan. Had hij zich ge-schaamd voor z'n dronkenschap, of zich te veel gevoeld na alles wat er gezegd was?

Het was te wensen geweest dat-ie nooit gekomen was, dan zou alles nog zijn zoals het was...

In gedachten liep Arnie naar de bedstee en schoof voorzichtig de gordijntjes opzij.

„Vader..." fluisterde hij en boog zich wat verder naar voren, „vader, ik ben nu even alleen met u en wil u zeggen dat..." Ineens zweeg Arnie en keek ontzet naar de starre blik in vaders ogen. Gebroken ogen die naar de zoldering van de bedstee staarden...

HOOFDSTUK 4

Ondanks zijn lang ziekbed, was de dood van vader Ovink toch nog een schok voor z'n kinderen. Verslagen zaten ze bijeen toen de lijkdienaar en de dominee hen bezochten voor het regelen van de begrafenis die enige dagen later plaatsvond.

Een lange stoet van in 't zwart geklede mensen volgde de boerenwagen met de lijkkist op weg naar het kerkhof van de buurtschap.

Buren en vrienden, maar ook onbekenden liepen mee. Zij waren van ver uit het veen gekomen en velen van hen hadden de tocht te voet afgelegd.

Eén van hen, een al wat oudere man, vroeg het woord bij het graf.

Namens vele veenarbeiders dankte hij Lobbe Ovink voor de kleding en het voedsel dat hij maandelijks aan de armsten onder hen uitdeelde.

„Lobbe Ovink," zo zei hij, „was een goed mens en een voorbeeld voor menigeen. Wij zullen zijn warme hartelijkheid node missen."

Nadat de dominee het sluitende gebed had uitgesproken en de kist aan de aarde was toevertrouwd, liep de stoet terug naar de Leeuwerikhoeve, waar op de deel in de schuur lange tafels gereedstonden voor het begrafenismaal.

Er moest haastig worden bijgedekt, want op zoveel belangstelling was niet gerekend. Niemand wist immers iets af van vaders tochten naar 't veen.

De hammen en worsten van de laatste slacht werden van de zoldering gehaald en buren haalden snel wat extra broden van huis.

Verdrietig, maar getroost door zoveel belangstelling, gleden Arnies ogen langs de vele gezichten aan de tafels.

Z'n blik werd opgevangen en beantwoord door de veenarbeiders en hun vrouwen. Hun glimlach straalde warmte uit. Evenals hun ogen in gezichten waarvan de jarenlange armoede viel af te lezen. En het waren juist deze gezichten die hem bijbleven.

Wat zou het fijn zijn om, ter nagedachtenis aan vader, de hulp aan deze mensen voort te zetten.
Misschien voelden Mijntje en Widde daar ook wel iets voor...

De dagen na de begrafenis verliepen stilletjes.
Niemand had behoefte aan veel woorden en eenieder ging z'n eigen gang.
De dominee kwam dikwijls op bezoek en tijdens een van die visites zei hij Widde en Mijntje dat zij onder toezicht van een voogd zouden komen te staan omdat zij nog minderjarig waren.
Widde had woedend gereageerd en tegen de dominee gezegd dat hij wel op zichzelf kon passen.
De dominee was kalm gebleven en had Widde uitgelegd dat de wet nu eenmaal zo luidde en dat daar niets tegen te doen viel.

Precies een week na hun vaders dood, haalde Arnie de spaarbusjes tevoorschijn en plaatste ze op de keukentafel.
„Wat heeft dat te betekenen?" vroeg Widde en hij keerde de namen op de busjes naar zich toe.
„Dat is geld dat vader voor ons heeft opgespaard," antwoordde Arnie. „Ik moest ze een week na zijn dood uitdelen, en dat is vandaag. Onze namen staan erop en in elk busje zit hetzelfde bedrag. Wie over het geld wil beschikken, kan het sleuteltje bij de dominee halen."
Widdes gezicht betrok en hij spoog driftig in de kwispedoor voor hij smalend zei: „Zooo... dus dat heb jij met vader bekokstoofd achter mijn rug om. Dat is nou typisch iets voor jou. Achterbaks, dat ligt jou het best. Zo ben je altijd al geweest. Mij hebben jullie nergens in gemengd, terwijl ik de enige echte zoon van vader ben. En dat komt niet door vader, maar door jou. Jij wist dat je invloed op hem had door z'n hielen te likken. Door jouw toedoen staan hier drie busjes op tafel in plaats van twee, want jij hebt geen recht op dit geld. Jij bent geen Ovink!"
Perplex en lijkbleek geworden staarde Arnie naar z'n broer en was zo overdonderd dat er geen woord over z'n lippen kwam.
Maar binnenin hem begon alles te trillen en te gisten en hij klemde z'n kaken op elkaar en z'n handen balden zich tot vuisten.

Langzaam liep hij op Widde toe, die hatelijk lachte, maar dat hoorde Arnie niet en juist toen hij naar Widde wilde uithalen, sprong Mijntje ertussen.

Ze gaf Widde een harde klap in het gezicht en siste woedend: „Hier, die heb je van mij, van vader en van moeder. En die heb je verdiend. Je moest je doodschamen om zulke dingen te zeggen. Je bent een schande voor onze familie en dat zal ik ook de dominee zeggen. Ga de keuken uit! Naar zo'n broer kan ik niet langer kijken. En jij, Arnie, beheers je. 't Is verschrikkelijk wat je heb moeten aanhoren, maar beheers je. Hier wordt niet gevochten en zeker niet om geld. Als vader dit geweten had, zou hij alledrie de spaarbusjes hebben geleegd bij de mensen in het veen. Dan had hij tenminste blije gezichten gezien. En wat heeft vader nu bereikt met z'n spaarzaamheid? Ruzie! Ordinaire ruzie. Dank je wel, Widde! Ook namens vader en moeder, hartelijk dank voor je fijngevoeligheid. En ook nog bedankt voor de prettige sfeer die je, een week na vaders dood, hier weet te brengen." Mijntje zweeg even en veegde met een driftig gebaar haar tranen weg voor ze vervolgde: „Slechts één ding wilde ik nog aan je kwijt, Widde, en dat is: jij hebt ons vanavond laten zien dat je niets in je hebt wat mij aan vader of moeder doet denken en daarom is niet Arnie het 'onechte kind' hier, maar jij…"

Zonder nog op of om te kijken, verliet Mijntje de keuken en zocht haar kamertje op waar ze zich snikkend op bed liet vallen.

Het voorval van die avond liet z'n sporen na in de weken die volgden.

Widde wilde niet meer met Arnie op dezelfde kamer slapen en had beslag gelegd op de bedstee in de zondagskamer. In de schaarse uren dat ze met z'n drieën waren, werd er weinig gesproken en als er gesproken werd was het meestal door Widde die Arnie opdrachten gaf over hetgeen er op de hoeve moest gebeuren.

Ook liet Widde weten het financiële beheer van de hoeve op zich te nemen.

De verhouding werd er niet beter op. Zeker niet toen de rentmeester kwam voor het pachtgeld en Arnie het geldkistje tevoorschijn haalde.

Met een nijdig gebaar had Widde het uit zijn handen gerukt waar de rentmeester bij zat en dat had weer kwaad bloed gezet bij Arnie.

Beschaamd had hij de keuken verlaten en daardoor vergat-ie de rentmeester aan te spreken op het achterstallige onderhoud van de hoeve.

Enige weken later kwam er een brief van de heer Buwalda van Larikxhoven, gericht aan de bewoners van de Leeuwerikhoeve.

Widde was niet thuis dus maakte Arnie de brief open. Tot zijn verbazing las hij dat Widdes verzoek om het pachtcontract op zijn naam te krijgen, was afgewezen vanwege zijn minderjarigheid. Bovendien moesten de bewoners weten dat overschrijving van het contract op naam van de meerderjarige zoon zeer dubieus was.

Dit in verband met de onderlinge slechte verstandhouding van de bewoners hetgeen de bedrijfsvoering niet ten goede zou komen...

Geërgerd gooide Arnie de brief op tafel en mompelde nijdig: „De rat... De lompheid van Widde paste precies in z'n straatje...”

Ook Mijntje en Widde lazen de brief, maar niemand roerde het onderwerp aan.

De vervreemding van elkaar leek steeds grotere vormen aan te nemen. Dat kwam vooral door Widde. Dagenlang bleef hij weg en als hij thuis was, bleek hij niet van plan zijn handen vuil te maken. Dan zat hij in z'n beste kleren in de zondagskamer en had vaders stoel als zijn plek gekozen.

Ook Arnie was hele dagen weg. Al voor dag en dauw smeerde hij z'n brood, vulde de veldfles met koffie en ging met de paarden naar de akkers.

Bij slecht weer school hij onder de boerenwagen, waar hij dikwijls ook zijn brood at.

Doordat de akkers in een vrijwel onbewoond gebied lagen, gebeurde het dat hij dagenlang niemand zag. Maar dat deerde hem niet. De eenzaamheid bracht rust. Meer rust dan de Leeuwerikhoeve, want daar leek met vaders dood ook alle rust en warmte verdwenen te zijn.

Nog altijd hoorde hij Widdes woorden die als een mes door z'n ziel hadden gesneden. Voelde hij de haathouding die Widde had aangenomen, waardoor hij vaak laat en met tegenzin de akkers verliet.

En ook al was hij vaak nat en verkleumd, op de akkers was het goed. Daar kon niemand op z'n hart trappen. Daar konden alleen Frouke en Ploos hem horen als hij hardop praatte om de maalstroom van gevoelens en gedachten wat te ordenen. Hier op de akker kon-ie huilen om vader en om die andere vader die hem had verkocht. Weggedaan zoals je dat met kapot gereedschap doet of met een paar ouwe laarzen. Hier op de akker kon-ie vechten met die vader. Zeggen hoe-ie over hem dacht.

En hier op de akker hoefde-ie niet steeds Mijntjes ogen te ontwijken omdat ze anders de gloed zou zien van het vuur dat in hem brandde. Een vuur dat steeds meer aanwakkerde sinds die ruzie om de spaarbusjes. Mijntje was toen als een kordate vrouw opgetreden waardoor ze ineens volwassen leek. Sindsdien ook was hij gaan beseffen dat ze niet zijn zuster en ook niet het meisje was waar hij zich als grotere broer over ontfermde. Nee... Mijntje was geen kind meer. Ook geen bloedverwante, maar een mooie jonge vrouw. Een prachtige lieve vrouw, waar-ie heimelijk al van hield en nu ook openlijk van mocht houden.

Dat was het grote lichtpunt dat de marskramer had meegebracht. Het enige lichtpunt, maar wel een waaraan hij zich kon warmen. Waar hij hier vrijelijk over kon mijmeren zonder z'n ogen te hoeven neerslaan. Hier mocht het vuur uit z'n ogen vonken. Thuis niet. Mijntje mocht er niets van zien. Ze zou zich aan hem verplicht voelen door de band die ze altijd hadden. Zich aan hem verbinden omdat het altijd al zo was. Dat mocht niet gebeuren. Mijntje leefde te geïsoleerd om zomaar een keus te maken. Volgend jaar, als het oogstfeest er was, dan zou ze genoeg keus hebben. Het oogstfeest was een huwelijksmarkt.

Zo was het altijd al geweest en zo zou het ook blijven.

Maar hij zal er dan niet zijn. Het zou te veel pijn doen om Mijntje te zien dansen. Hijzelf wilde met haar dansen. Met haar over het plein zwieren op de maat van de muziek. Haar lichaam tegen zich aandrukken om haar hartenklop te voelen. Ongemerkt haar muts aftrekken zodat haar lange blonde haar met haar meezwierde...'

Zo mijmerde Arnie zijn eenzame dagen door, totdat de akkers winterklaar waren en hij weer dagelijks op de hoeve verbleef. Ook daar was nog veel te doen.

De ploeg en de eg moesten worden schoongemaakt en ingevet. Het andere gereedschap moest worden nagekeken. De paardenstal had een grote beurt nodig en voor de sneeuw ging vallen moest de houtvoorraad binnen zijn.

Mijntje was blij dat hij weer dicht in haar buurt was. De lange weken van eenzaamheid op de hoeve hadden haar somber gestemd. Mede door het afstandelijke gedrag van Arnie, die haar nauwelijks aansprak of bekeek.

Zoals ook nu weer. Ze zag dat hij snel vanuit zijn ooghoeken keek, maar net deed of hij haar niet zag. En dat deed pijn.

Met een zucht ging ze aan tafel zitten om de sokken te stoppen, maar daar kwam niet veel van.

Met haar handen in de schoot staarde ze naar de tafel en dwaalde met haar gedachten naar de schuur. Naar Arnie. Hij voelde zich niet meer thuis op de hoeve. Beschouwde zichzelf als een vreemde en gedroeg zich als een knecht. Alleen tijdens de maaltijden was hij in de keuken. Dan sprak hij niet. Lachte niet. Keek haar niet eens aan als ze iets vroeg.

Was hij boos omdat zij die avond tussen hem en Widde was gesprongen? Had hij daar soms uit opgemaakt dat ze voor Widde koos omdat die haar broer was? Was hij soms van gedachten dat zij en Widde tegen hem samenspanden? Stond daarom zijn spaarbusje nog altijd in de keuken, of was hij te trots om iets aan te pakken wat hem niet gegund werd? Maar één ding was zeker: er moest gepraat worden. Hier gingen ze allebei aan kapot.

't Was toch te gek dat hij zich alleen nog maar ophield in de schuur of op z'n zolderkamertje?

Zo was het leven van een knecht, maar toch niet voor hém. Widde kon het nou wel zo willen, maar gebeuren zou het niet. O nee... Daar was-ie veel te goed en te lief voor. Maar dat laatste kon ze hem natuurlijk niet zeggen. Dan zou ze verraden wat er in haar leefde. Iets wat er altijd al zat, maar sinds enige tijd als een storm door haar lijf joeg.

Het was 't enige vriendelijk dat aan de oppervlakte was gekomen sinds de marskramer alles had omgespit.

Het was de grote ommekeer in haar leven geworden.

Hij bleek haar broer niet te zijn. Hij was een man met ander bloed! Ze zou het wel van de daken willen roepen, maar het nooit doen. Ze mocht hem heimelijk liefhebben maar het hem niet kenbaar maken, want dan zou ze zich aan hem opdringen.

Nee, ze moest zich beheersen in zijn bijzijn, ook al was haar verlangen om z'n sombere mond te kussen groot. Of z'n lenig lijf te strelen. Z'n hoofd tussen haar handen te nemen om in die mooie warme ogen te kijken.

Het kon niet! Hij zou ervan schrikken! Hij zag haar immers nog altijd als die kleine zus waar-ie zich een beetje de vader van voelde...!

Mijntje zuchtte weer en stond op.

Ze moest maar eens koffie gaan zetten, dan had ze iets om hem binnen te lokken. Kon ze weer eens naar hem kijken, want dat zou hem niet opvallen. Hij keek toch niet...!

Terwijl ze met de koffie bezig was, bracht de postbode een brief.

Nieuwsgierig liet ze hem door haar handen gaan en zag dat het schrijven voor Arnie bestemd was.

Geurt Miedema, Lemmer, stond er op de achterkant.

Ze legde de brief op de plaats waar hij gewoonlijk zat en ging naar de schuur.

„Ik heb koffie voor je," zei ze toen ze bij hem stond. „Ja... ik kom," zei hij kort.

Ze treuzelde even en hoopte dat er nog een woordje meer afkon, maar het bleef stil en ze keek naar zijn magere maar pezige armen, die uit zijn opgerolde mouwen staken. Ze keek naar de behendigheid waarmee hij de poetsdoek langs de scherpe messen van de ploeg wreef.

54

Ze wachtte nog een poosje, maar hij keek op noch om en ze slenterde terug naar de keuken.

Even later zat hij tegenover haar en begon de brief te lezen.

Het was zo stil in de keuken dat ze haar hart hoorde bonzen. Ze werd er zenuwachtig van en roerde luid haar koffie.

„Wat schrijft Geurt?" vroeg ze om de akelige stilte te verbreken.

Z'n ogen bleven op de brief gericht toen hij antwoordde: „Hij condoleert ons met het verlies van vader."

„O, dus dat heb je hem geschreven?"

„Ja, ik heb hem alles geschreven."

„Ook dat je..."

„Ja, dat ook..."

Het werd weer stil en Mijntje plukte wat aan haar schort. „Ik ben er vanavond niet," zei hij terwijl hij opstond. „O... waar moet je heen?" vroeg ze.

„Ik ga naar 't Sliefje, naar Geurt. Daar vroeg hij om..."

Na de broodmaaltijd die avond, ging hij naar z'n kamertje en kwam even later terug in z'n zondagse kleren.

Het trof haar dat hij er zo keurig uitzag. Nooit eerder had het zwarte jasje hem zo goed gestaan. Z'n slanke gestalte kwam er goed in uit. En hij rook naar zeep, had zich geschoren en z'n haar gekamd.

Ze kon haar ogen bijna niet van hem afhouden, maar wendde haar blik toch af toen ze zich realiseerde dat hij naar 't Sliefje ging. 'En daar was de dochter van de waard. „Mooie Hanna," had de zoon van de molenaar haar laatst genoemd en er aan toegevoegd: „Een mooiere vrouw is er in deze omgeving niet te vinden..."

En daar ging hij naar toe. En Hanna zou naar hem kijken zoals de dochters van boer Brummer ook altijd naar hem keken.

En hij? Hij zou Hanna zien...

Er ging een steek door haar hart. Was dat jaloezie?

Ja, dat moest het wel zijn want het deed zeer van binnen. Ze wilde niet dat hij Hanna zag.

Zou hij ook iets van jaloezie voelen als zij met een andere man uitging?

„De zoon van de molenaar vroeg me mee naar de kermis," loog ze toen hij de buitendeur wilde openen.

't Was even stil voor hij zei: „O... wanneer heb je die dan gesproken?"

„Van de week toen ik een baaltje graan liet malen." Hij bleef met z'n rug naar haar toe staan en mompelde: „Leuk voor je..." Teleurgesteld keek ze hem op de rug en kreeg een onweerstaanbare drang hem even aan te raken.

„Je draagt je rouwband nog," merkte ze op en wreef over z'n mouw.

„Ja, dat weet ik."

„Maar... de rouwtijd is toch al om?"

„Voor mij niet. En ik ga niet naar een feestje, ik ga naar Geurt..."

Met die woorden trok hij de deur achter zich dicht.

Lang nadat hij vertrokken was, zat Mijntje nog in de keuken. Ze was opstandig en smeet de sokken terug in de stopmand. Waarom had hij haar niet meegevraagd. Ze had toch ook recht op een verzetje? Of was ze alleen maar goed voor de huishouding?

Ze was achttien en mocht nu ook 's avonds weg. Zou ze de dochters van boer Brummers vragen? Dan had ze een beetje aanspraak.

Nee, toch maar niet. Die wichten waren zó vervelend. Altijd roddelen en dan achter hun hand giechelen. Bah nee. Dan maar liever alleen.

Zou ze op hem wachten? Dan kon ze aan de weet komen of hij verliefd was geworden op Hanna.

't Was onmiddellijk te zien aan zijn ogen. Die zouden dan een fluweelachtige glans hebben. Dezelfde glans die er ook altijd was als hij iets mooi vond of ontroerd was.

Ja, ze zou op hem wachten en de kans grijpen om zijn ogen te zien.

Als die glans er was, wist ze genoeg...

Op weg naar 't Sliefje klonken Mijntjes woorden nog lang na bij Arnie.

Ze was meegevraagd door de molenaarszoon.

't Was zover. De tijd was aangebroken dat ze op een dag haar huwelijksplannen aan hem zou meedelen.

Er zouden kandidaten genoeg zijn. Welke gezonde man zou haar niet begeren?

Wat wrevelig betrad hij 't Sliefje en was blij dat hij de joviale schouderklap van Geurt voelde.

Aan een achteraf tafeltje namen ze plaats en raakten in een diepgaand gesprek. Hierdoor bemerkten ze niet dat Widde ook aanwezig was en hen op afstand bekeek.

Zijn ogen gleden van Arnie naar Hanna en hij zag hoe de ogen van Hanna Arnie volgden tot aan zijn zitplaats.

Hij zag ook dat ze snel twee bierkroezen vulde en naar Arnies tafeltje wilde lopen.

Juist toen ze hem passeerde, gaf hij met z'n kroes een harde klap op tafel.

Geschrokken keek Hanna om en hij snauwde: „Ik was eerst!"

„Neem me niet kwalijk," zei Hanna timide en zette snel een kroes bier bij hem neer.

Geërgerd keek hij toe hoe Hanna treuzelde bij de tafel van Arnie en Geurt en later op de avond, toen Arnie al weg was, hield hij Geurt aan en zei: „Je mag die broer van mij wel in de gaten houden. Hij vreet Hanna met z'n ogen op."

Even keek Geurt verbaasd, toen lachte hij en zei: „Arnie? Daar geloof ik niks van."

„Wacht jij maar af, vrind," hield Widde vol. „Ik ken hem langer dan vandaag. 't Is een stiekemerd…"

Zonder er verder op in te gaan liep Geurt door, pakte zijn harmonica en zong luid zijn lievelingslied: „'k Heb een mooi deerntje gezien…"

Op de Leeuwerikhoeve zat Mijntje nog altijd te wachten, maar toen de klok op de schouw twaalf slagen liet horen, besloot ze naar bed te gaan.

Ze stak een kaars aan, liep ermee naar boven en kleedde zich in een nachtpon.

Na nog even naar buiten te hebben gekeken, ging ze op bed liggen en deed haar avondgebed.

De kaars liet ze branden, vastbesloten als ze was om wakker te blijven.

Kort daarop hoorde ze de zoldertrap kraken en ging rechtop zitten. Dat was Arnie, want Widde kwam niet boven. Maar ze hoorde niets meer. Had ze het zich verbeeld?'

Maar het was Arnie inderdaad en hij was halverwege de zoldertrap blijven staan omdat er een streepje licht onder Mijntjes deur scheen.

Had ze op hem gewacht?

Er kwam een geweldig verlangen in hem boven waardoor hij even talmde, maar hij vermande zich en ging z'n kamertje binnen.

Intussen liep Mijntje heen en weer. Ze had zijn kamerdeur gehoord en vroeg zich af wat ze moest zeggen bij haar binnenkomst.

Zenuwachtig sloop ze haar kamer uit, klopte op zijn deur en stapte meteen naar binnen.

Met een ruk keerde Arnie zich van het raam en staarde haar aan. Lieve God, wat was ze mooi met dat losse haar rond haar schouders en die vooruitstaande borsten onder haar nachtpon.

Hij staarde en staarde... en Mijntje zag het. Die blik, die fluwelen blik... die was er en maakte haar geheel van streek.

Ze wilde hem die ene vraag stellen, maar kreeg de woorden bijna niet uit haar mond. „Ben... je..." stamelde ze en brak ineens in snikken uit...

Langzaam en wat wezenloos liep hij op haar toe en fluisterde ontdaan haar naam: „Mijntje... lieve Mijntje, huil niet, daar kan ik niet tegen. Daarvoor ben je me te lief. Je bent m'n alles, Mijntje, en daarom moet je nu weggaan. Ik voel dat ik niets meer over mezelf te vertellen heb. Ga, Mijntje... ga..."

Maar Mijntje ging niet. Ze drukte hem fel tegen zich aan en haar tranen werden gelukstranen.

Ze nam zijn gezicht in haar handen en kuste het. Steeds weer opnieuw kuste ze hem en hij haar, totdat een overweldigende begeerte naar meer hen overviel en ze kreunend in elkaars armen op bed vielen.

In de dagen die volgden beleefden de twee hun innige liefde en kregen geen genoeg van elkaar. Alles was op slag veranderd. De zon leek iedere dag te schijnen en beiden hadden het gevoel dat hun voeten de grond niet raakten. De weken die Arnie in afzondering had geleefd, leken voorgoed voorbij. Vaker dan ooit kwam hij de keuken in en had dan grote moeite zich van Mijntje los te maken.

De keren dat Widde thuiskwam, trachtten ze zo min mogelijk aandacht aan elkaar te besteden en sliepen ze niet bij elkaar. Widde zou het niet begrijpen en de sfeer verstoren.

Tijdens die dagen hielden ze het bij oogcontact en lazen uit elkaars blik het geheim dat hun hart en lichaam deelden.

Toen ze enige tijd later op een zondagochtend de kerk wilden verlaten, werden ze door de koster opgewacht die hun verzocht mee te gaan naar de consistoriekamer.

Onzeker namen ze plaats op een van de vele stoelen en vroegen zich af wat de reden kon zijn van dat verzoek.

Even later betrad de dominee de kerkenraadskamer en begroette hen vriendelijk.

„Ik heb jullie hier laten komen," begon hij, „omdat ik het een en ander met jullie te bespreken heb. Om die reden nodig ik jullie nu uit om bij mij thuis de koffie te gebruiken, dan kunnen we alles rustig doorpraten. Ik mis echter jullie broer. Is hij ziek?"

Arnie wisselde een snelle blik met Mijntje en antwoordde met enige aarzeling: „Eh nee, dat niet."

„Waarom was hij dan niet in de kerk?" vroeg de dominee weer.

In de stilte die viel keek de dominee van de een naar de ander, maar kreeg geen antwoord.

„Nou ja," zei hij wat korzelig, „ik zal het hem zelf wel vragen. Ik kom binnenkort op bezoek en spreek hem dan zelf wel."

Samen met de dominee stapten ze in het luxe koetsje dat hen naar de pastorie bracht.

Onderweg zochten ze onopvallend elkaars hand omdat ze, ondanks de vriendelijke woorden van de dominee, zich toch niet op hun gemak voelden.

Het koetsje stopte voor een statig pand. Ze stapten uit en liepen achter de dominee aan naar binnen, waarna ze door hem naar de salon werden gebracht.

Nadat ze hadden plaatsgenomen in een fauteuil en het dienstmeisje de koffie had geschonken, stak de dominee van wal.

„Zoals jullie weten," zei hij, „hadden jullie vader en ik een goede band samen. Door onze gezamenlijke bezoeken aan de mensen in het veen, is die band versterkt en uitgegroeid tot vriendschap. En hoe gaat dat in een vriendschap: je vertrouwt elkaar algauw allerlei zaken toe. Dat gegeven kennen jullie vast wel. Of niet soms?"

Mijntje knikte instemmend en Arnie wendde z'n blik naar het venster: Zou de dominee alles weten van vader?

„Op een van onze tochten naar het veen," vervolgde de dominee, „vertelde vader Ovink mij dat hij zich al geruime tijd niet goed voelde en zich zorgen maakte om zijn kinderen als hij kwam te sterven. Ik zei hem dat hij zich daarover geen zorgen hoefde te maken, omdat ik zijn kinderen nooit aan hun lot zou overlaten. Hij toonde zich buitengewoon blij daarover en vroeg mij of ik genegen was als voogd voor zijn kinderen op te treden indien dat noodzakelijk mocht zijn. Welnu, die tijd is, helaas voor jullie en jullie vader, thans aangebroken. Ik heb bericht gekregen dat ik wettelijk ben aangewezen als jullie voogd.

Niet voor jou, Arnie, want jij bent reeds meerderjarig, maar wel voor Widde en Mijntje totdat beiden de leeftijd van drieëntwintig jaar hebben bereikt.

Ik hoop, Mijntje, dat jij en je broer zich met mijn voogdijschap kunnen verenigen en dat we er samen het beste van zullen maken.

Mochten er tussen jullie en mij problemen ontstaan, dan is er altijd nog een toeziend voogd die er dan bij betrokken wordt. Zo'n toeziend voogd wordt door de rechtbank aangesteld om mij te controleren op het uitoefenen van mijn voogdijschap. Begrijpen jullie de gang van zaken een beetje, of hebben jullie nog vragen?"

„Ja dominee," antwoordde Mijntje, „ik heb een vraag. Ik zou graag van u willen weten wat u als voogd zoal moet doen of laten doen."

„Dat vind ik een goede vraag, Mijntje, en ik zal het je uitleggen. Ik moet oog houden op jullie welzijn zoals in een goed gezin de ouders dat doen. Dat wil zeggen dat ik het, bijvoorbeeld, niet goed mag vinden dat jullie bij nacht en ontij over straat zwerven. Dat ik erop moet toezien dat jullie niet verarmen, ongezond leven of verwaarloosd raken. Bij ziekte of zeer dien ik daarvan op de hoogte te worden gebracht, zodat ik tijdig maatregelen kan nemen. Ook dien ik borg te staan voor het vervullen van jullie christenplicht, zoals kerkbezoek, jullie gedrag onderling en de houding tegenover je naasten. Vanzelfsprekend moet ik ook alles weten van het reilen en zeilen op de hoeve wat betreft de financiële kant. Kortom, ik ben jullie vertrouwensman en dat wil zeggen dat jullie met al je wel en wee bij mij terechtkunnen. Dit alles onder strikte geheimhouding mijnerzijds, behalve als wij het samen niet eens kunnen worden, want dan wordt de toeziend voogd ingeschakeld. Heb ik het zo duidelijk genoeg uitgelegd, Mijntje?"

„Ja dominee, ik begrijp het."

„Jij ook, Arnie?" vroeg de dominee. „Ja dominee, 't is me duidelijk," zei Arnie.

„Fijn, dan kom ik morgen of overmorgen bij jullie en zorg er dan voor dat jullie broer thuis is. Afgesproken?"

„We zullen de boodschap overbrengen, dominee," antwoordde Mijntje nogal vlak.

„Dat klinkt afstandelijk, Mijntje," vond de dominee en nam haar met een onderzoekende blik op. „Gaat het niet goed tussen jullie?"

„Niet zo goed als we zouden willen, dominee," bekende Mijntje.

„Zooo... en hoe komt dat?"

„'t Komt eigenlijk door die spaarbusjes, dominee. Widde vond dat Arnie..."

„Mijntje bedoelt..." viel Arnie haar haastig in de reden „dat Widde het niet leuk vond dat vader mij in vertrouwen had genomen omtrent de financiën."

„Maar dat is toch de normale gang van zaken," reageerde de dominee verbaasd. „Jij bent toch de oudste. Het lijkt me verstandig dat ik eens met je broer praat over deze zaak."

„Misschien kunt u dat beter niet doen," opperde Arnie voorzichtig. „Widde zou kunnen denken dat wij ons beklag bij u hebben gedaan en dan wordt het nog moeilijker."

„Nee nee," antwoordde de dominee stellig, „nee nee, dat kleed ik wel handig in, wees daar maar niet bang voor. Maar waar ik het ook nog over hebben wil: hoe staat het eigenlijk met het pachtcontract. Is dat al op jouw naam gezet?"

„Nee, dominee, maar ik kan u de brief van de heer Buwalda laten lezen over deze kwestie."

„Dat zal ik zeker doen, maar vandaag niet meer. We houden voor de rest van de dag zondagsrust, is het niet?"

Ze knikten beiden, waarop de dominee vroeg: „Zal ik de koetsier vragen jullie thuis te brengen?"

„Nee dank u, dominee. We lopen liever. 't Is zulk mooi weer."

„Daar heb je gelijk in," vond de dominee en liet hen uit.

Om hand in hand te kunnen lopen, kozen ze een omweg naar huis.

Ze liepen door bos en hei en stonden zo nu en dan stil om elkaar te kussen.

Bij één van die keren zei Arnie: „Je had je toch bijna versproken, Mijntje."

„O ja? Wanneer dan?"

„Toen je het voorval van die spaarbusjes aan de dominee wilde vertellen. Dat mocht je niet vertellen. De dominee weet immers niet dat ik geen Ovink ben? Daarom viel ik je in de rede."

„Ach, natuurlijk. Je hebt gelijk," bekende Mijntje, „maar misschien weet de dominee dat allemaal al. Hij was toch goed bevriend met vader? En goede vrienden vertrouwen elkaar alles toe."

„'t Zou best kunnen, Mijntje, maar dominee toonde zich toch echt verbaasd toen ik het over Widde en de financiën had."

„Dat is waar, maar dominee kan dat ook gespeeld hebben omdat hij denkt dat wij niets weten."

„Zo zou het ook kunnen zijn, maar laten we het risico maar niet nemen, Mijntje, en erover zwijgen. Ook over onze liefde.

We zouden onze ouders ermee verraden en dat mag nooit gebeuren. Ik zou niet kunnen verdragen dat er lelijke dingen over hen gezegd werden."

„Denk je dat Widde ook zal zwijgen?" vroeg Mijntje. „Ik denk het wel. Widdes optreden mag dan te wensen overlaten, maar ik geloof wel dat hij van vader hield en nooit zou willen dat vaders naam door het slijk ging. Maar laten we het voor alle zekerheid met hem bespreken, vind je niet?"

„Ja... maar laat mij dat dan maar doen," vond Mijntje. „Widde kan van jou nu eenmaal niets verdragen."

„Dat is helaas zo," zuchtte Arnie. „Ik zou willen dat het anders was. Misschien doe ik iets fout, maar ik weet niet wat."

„Tob daar maar niet over," stelde Mijntje hem gerust. „Je hebt mij en Geurt. Of is dat te weinig?"

„O nee, zeker niet. Ik heb met jou alles wat mijn hart ooit begeerde. Jij bent de helft van mijn wezen. En ik denk dat God het ook zo wilde, anders had Hij mij niet bij jullie gebracht. Zo denk ik er de laatste tijd over en daardoor is de wrok die ik de laatste tijd voor mijn echte ouders voelde, grotendeels verdwenen."

Ontroerd bleef Mijntje staan en er was een waas van tranen in haar ogen toen ze zei: „Wat heb je dat mooi gezegd, lieverd. Die woorden zal ik nooit meer kunnen vergeten en ik zal er altijd op teren, wat er ook gebeurt."

Met de armen om elkaars middel liepen ze vol geluk verder, genietend van het onbespied-zijn en van het fraaie landschap in de winterzon.

Dicht bij huis bleef Mijntje weer staan en zei: „Weet je waar ik ineens aan denk?"

„Ja... aan mij," lachte Arnie.

„Ik denk altijd aan jou," lachte Mijntje terug, „maar nu dacht ik even aan Geurt."

„Mooi is dat."

„Nee, zo bedoel ik het niet. Ik dacht: Geurt weet het ook. Denk je dat Geurt zwijgt?"

„O ja, dat weet ik zeker. Hij heeft het mij met handslag beloofd."

„O... wat fijn, dan hebben we in ieder geval iemand met wie we openhartig kunnen praten."

„Ja... daar ben ik ook blij mee, want voor alle anderen zullen we de dingen altijd in het geniep moeten doen. Daar moet je op voorbereid zijn, Mijntje. Of we moeten, als je meerderjarig bent, naar een ander deel van het land waar niemand ons kent."

„O, dat heb ik er best voor over," zei Mijntje enthousiast. „Als jij bij me bent, maak het me niet uit waar ik woon."

„Weet je dat zeker, Mijntje? Zou je geen heimwee krijgen naar de Leeuwerikhoeve waar we altijd verstoppertje speelden in de hooischuur? En we in de beek van steen naar steen sprongen? Waar we bij stormweer in de populieren klommen en ons hoog in de takken mee lieten zwieren? Of het Elzenbos, waar we ons achter de bomen verstopten om de herten te begluren?"

„O nee..." zei Mijntje ineens heel ernstig, „naar het Elzenbos zal ik nooit meer verlangen, hoe mooi het ook is. Daar wil ik nooit meer heen nu ik weet dat er ergens een broertje van me begraven ligt."

„Dat begrijp ik," meende Arnie, „die naam had ik ook beter niet kunnen noemen."

„Ik neem het je helemaal niet kwalijk, hoor," zei Mijntje. „Ik wil je alleen laten weten dat ik daar niet meer wil komen. Ik zou altijd denken: Misschien ligt hij hier... of hier, of ginder onder die struik. Brr, ik krijg kippenvel als ik eraan denk."

„Ik eigenlijk ook," bekende Arnie.

Wat stilletjes vervolgden ze hun weg naar huis.

Veertien dagen daarna was het Kerstmis en de bewoners van de Leeuwerikhoeve waren bij de dominee uitgenodigd voor een kerstviering met maaltijd.

Widde was er ook, al was het met tegenzin.

Vanuit z'n ooghoeken keek hij naar de dominee die het samenzijn had geopend met gebed en nu een kerstverhaal voorlas.

Met een verveeld gezicht luisterde hij naar zijn gastheer die hij thuis en bij z'n vrienden 'de controleur' noemde.

De beknotting van zijn vrijheid, hem door zijn voogd opgelegd, stak hem aan alle kanten.

„'s Avonds om half tien thuis", had de dominee gezegd, en geen bezoeken aan verderfelijke gelegenheden. Zondags naar de kerk en de catechisatielessen hervatten." De strengheid waarmee het gezegd was had weliswaar indruk op hem gemaakt, maar z'n innerlijk verzet vergroot. Hij zon op wraak op het benauwde wereldje om hem heen, op de mensen die bezig waren hem in een keurslijf te dwingen dat hem niet paste. Z'n opstand nam met de dag toe en z'n verlangen naar vrijheid ook. Schoppend tegen alles wat hem voor de voeten kwam, droomde hij nog maar van één ding: de loopplank van een oceaanstomer opgaan. Liefst met Hanna, maar Edeline was geen slechte tweede, vond hij.

Widdes ogen gleden langs de meisjesgezichten aan de fraai gedekte kersttafel. Ze zaten tegenover de manlijke gasten omdat de dominee dat meer gepast vond.

Er waren mooie gezichtjes bij, zag Widde, en nam nogal luid een slok van z'n limonade.

„Goed spul om mee te gorgelen," fluisterde hij z'n buurman toe.

De man keek hem verstoord aan en fluisterde terug: „Misschien weet u het niet, maar de dominee vertelt een kerstverhaal."

„O," grijnsde Widde, „ik wist niet dat u het spannend vond."

De man wierp hem een vernietigende blik toe en wendde z'n hoofd af, waarop Widde een voetenspel begon met het mooie gezichtje aan de overkant.

Het meisje kleurde en trok haar tipdoekje wat strakker aan.

Tot geluk van Widde was het kerstverhaal geëindigd en kwamen er rijkelijk schalen met gebraad, hammen, worsten en brood op tafel.

Hij liet het zich allemaal goed smaken en meldde zich daarna met een mistroostig gezicht bij de dominee om te zeggen dat hij zich niet goed voelde.

Met gemengde gevoelens liet de dominee hem uit, waarna Widde richting huis liep. Eenmaal uit het zicht van de pastorie, sloeg hij snel een andere weg in, de weg naar 't Sliefje.

Daar zou Edeline wel raad weten met die andere honger die hem was overvallen bij het zien van dat mooie gezichtje zo-even.

HOOFDSTUK 5

Het nieuwe jaar zette in met overvloedige sneeuwval. Wekenlang waren de wegen zo goed als onbegaanbaar waardoor de buurtschap waartoe de Leeuwerikhoeve behoorde, vrijwel geïsoleerd was.

De postbode was al in geen week geweest en van een burenbezoekje was geen sprake. Wie haalde het in z'n hoofd om een lang pad te graven voor een buurpraatje? Eenieder had genoeg aan zijn eigen erf. Ook de bewoners van de Leeuwerikhoeve. Dagelijks moest er een weg gebaand worden naar de paardenstal om de dieren te kunnen verzorgen.

Ze kregen meer aandacht dan anders, omdat het werk buitenshuis voor een groot deel stillag.

Het was Frouke die daar het meeste van genoot en ook alle aandacht opeiste. Het saaie leven in de stal maakte haar humeurig en baldadig en ze drukte met regelmaat de stalraampjes met haar neus kapot. Ten einde raad sloeg Arnie er planken voor en liet haar enige keren per dag aan een leidsel rondjes lopen op het erf.

Dan ploegde ze door de sneeuw en hinnikte van plezier. „Nog even geduld, Frouke," zei Arnie op een dag, „dan gaan we er weer samen op uit."

En die dag kwam dan eindelijk in maart van dat jaar. De dooi was ingevallen en de paden waren weer enigszins begaanbaar. De akkers waren nog besneeuwd, maar hier en daar werd het zwart van de aardklonten al zichtbaar.

„Als het zo doorgaat, Frouke," babbelde Arnie tegen het dier, „dan kunnen we over een paar weken de akkers weer op. Maar we gaan eerst plezier maken, kom maar mee."

Het leek erop of het paard hem verstond. Onstuimig zwaaide ze met haar hoofd en staart en duwde Arnie opzij om als eerste buiten te zijn.

Ze stak zelfs Ploos aan. Het altijd zo kalme dier werd nu onrustig en schraapte over de grond.

„Jij mag vanmiddag mee, Ploos!" riep Arnie het dier toe. „Je bent wel bescheiden maar daarom vergeet ik je niet, hoor!"

Behoedzaam zadelde hij het paard en dat was een tijdrovend werkje, want Frouke verdroeg geen banden die haar in haar vrijheid belemmerden.

Uiteindelijk was het zover en kon Arnie z'n voet in de stijgbeugel zetten.

Hij zat nog maar nauwelijks of Frouke ging er als een haas vandoor. „Ho ho!" riep Arnie haar vermanend toe en trok de leidsels wat strakker aan, „'t is hier en daar nog glad, hoor. Straks op de heide mag je voluit, daar heb je minder kans op glijden."

Het dier gehoorzaamde en haalde op de heide de schade in. In volle vaart draafde het over de vlakte tot groot plezier van man en paard.

Toen ze het Elzenbos naderden, hield Arnie het paard in en zei: „We gaan de andere kant op, Frouke. We nemen het Zandpad tot aan het moeras en dan weer over de heide terug naar huis. Nou, dan heb je toch een stevig uitstapje gehad vandaag, vind je ook niet?" Frouke leek te antwoorden met haar oren die heen en weer gingen en ze besloot er maar weer eens vandoor te gaan. Met een ruk zette ze de vaart erin en Arnie kon nog maar net in het zadel blijven.

Wat boos sprak hij haar toe en ze begreep zijn toon en hield in op een moment dat er iets op het pad lag. Man en paard zagen het op het laatste moment en tot Arnies vreugde sprong Frouke er sierlijk overheen. Arnie keek om en zag dat wat eerst een hoopje vodden leek, nu bewoog.

Hij prees het paard, bracht het tot stilstand en liep terug naar de plaats van de hindernis. „Plaggemientje!" riep hij geschrokken toen hij zich over het hoopje heen boog. „Plaggemientje, hoort u mij?"

„Ja ja," klonk het wat beverig, „help me op de been, asjeblieft." Voorzichtig tilde hij het oude vrouwtje van de grond. Ze wankelde even maar Arnie hield haar staande en veegde wat sneeuw en modder van haar gezicht en kleren. „Heeft u ergens pijn?" vroeg hij bezorgd.

„Nee hoor, jongen. Nee hoor, ik voel niks."

Ze klonk nog beverig en zag er verkleumd uit.

„Ik zal m'n jas om u heen slaan," zei Arnie, „u ziet er koud uit.

„O, dat is lief van je," zei het vrouwtje dankbaar. „Denkt u dat u op het paard kunt blijven zitten als ik u erop til?" vroeg Arnie.

„Nee, dat doe ik liever niet. Ik ben bang voor paarden. Ik loop liever."

„Zou dat lukken? Anders draag ik u naar uw huis, hoor." Plaggemientje keek hem aan en ondanks de kou en de schrik die nog in haar lijf zat, plooide haar mond zich tot een glimlach toen ze zei: „Ik zou bijna 'ja' zeggen, want ik heb nog nooit in de armen van een man gelegen. Maar ik zeg nee. Zo'n emotie zou m'n dood worden."

Haar tandeloze mond lachte nu breed terwijl ze haar verschoten en verstelde rok gladstreek.

„Maar een arm wil ik wel van je en m'n stok ook." Arnie raapte de stok op en vroeg: Wat is er eigenlijk met u gebeurd, bent u gestruikeld?"

„Nee, helemaal niet. Ik werd omver gegooid door een hert."

„Door een hert?!"

„Ja, ik zocht naar wat sprokkelhout en stond ineens oog in oog met hem. We schrokken van elkaar en toen hij ervandoor ging, raakte hij m'n stok en ging ik onderuit. Je moet het bijkans gezien hebben. Ik hoorde aan de hoefslag van je paard dat het elk moment bij me kon zijn en ik dacht: niet vlak voor het paard opstaan, dan schrikt het misschien. Maak je maar klein…"

„U bent slim," vond Arnie, „en ik dank God dat Frouke over u heen sprong."

„Ja, jongeman, daar ben ik ook dankbaar voor," zei het oudje en gaf hem een arm.

Toen haar huisje in zicht kwam, bleef ze staan en zei verontschuldigend: „Ik heb je niet eens bedankt."

„Dat hoeft ook niet. Ik deed wat ieder ander ook zou doen."

„Misschien wel, maar toch veel dank van mij."

Eerst nu nam ze de tijd om haar begeleider eens goed op te nemen. Ze was zo klein, dat ze naar boven moest kijken om zijn gezicht te zien.

Hij zag hoe haar kraaloogjes keurend van zijn gezicht naar zijn bloes, rijbroek en rijlaarzen gleden.

Ze was er zo aandachtig mee bezig dat het haar ontging dat Arnie het bepaald niet warm had zonder zijn bonker. „Van wie ben je er eigenlijk een?" vroeg ze met een nieuwsgierige blik. „Ik ben Arnie Ovink."

„Ovink? O, ben je er daar een van. Nou zeg hun dan maar van mij dat ze trots op je kunnen zijn. O nee, dat kan niet meer, je vader is dood. Jammer hoor, hij was een goed mens. Wel een met een vlek op z'n ziel, maar niemand van ons is vlekkeloos."

Arnies mond zakte open en hij vroeg onthutst: „Hoe weet u dat!"

„Van Kalle, maar vergeet maar wat ik gezegd heb. Ik ben stom geweest, ik had m'n mond moeten houden. En kijk maar niet zo angstig, want ik weet niks en als ik iets zou weten, zou ik het toch niet tegen je zeggen. Want Kalle zegt: wie niet kan verzwijgen wat hem is toevertrouwd, is het geheim niet waard en het leven ook niet. En daar hou ik me aan. Tenminste... dat deed ik altijd, maar vandaag ben ik blijkbaar de kluts kwijt. Kalle zal wel boos zijn..."

„Wie is Kalle?"

„Kalle is een vriend van me. Ik zal hem wel aan je voorstellen als we thuis zijn."

Het 'thuis' waar Plaggemientje van sprak, was niets meer dan een krotje van stammen en plaggen met een klein raampje erin.

Ze dribbelde voor hem uit naar binnen, waar het halfdonker was. De kou die er hing viel als een kille deken om hem heen en deed hem huiveren.

Toen z'n ogen aan de duisternis gewend waren, blikte hij snel het vertrekje door op zoek naar Kalle.

Er was niemand te zien en hij ging zitten op een kistje dat Plaggemientje hem aanwees.

Zelf liep ze naar een hoek in het kamertje en prevelde iets tegen een opgezette kraai waarna ze zich naar Arnie keerde en met een lichte buiging naar de kraai zei: „Ovink, dit is Kalle."

„Aangenaam," antwoordde Arnie en had moeite zijn gezicht in de plooi te houden.

„Hij is degene die me op de hoogte houdt van het lief en leed in de omgeving," legde Plaggemientje uit. „En daar ben ik blij mee want zelf kom ik nergens. Maar nu even iets anders. Ik kan je, helaas, geen koffie of thee aanbieden, de kachel is uit en het hout is op."

"Wilt u daarmee zeggen dat u in de kou moet zitten?!"

"Dat overleeft u niet, het is even boven het vriespunt!" Er verscheen een glimlach op het gerimpelde gezichtje van Plaggemientje toen ze zei: "Dat overleef ik heus wel, hoor. Ik zit al een paar dagen zonder hout. En heb maar geen meelij met me, want het is mijn eigen schuld. Ik had beter op Fop moeten letten."

"Fop?" vroeg Arnie.

"Ja, op Fop, die eekhoorn daar."

Arnie keek opzij en zag een opgezette eekhoorn met een nootje tussen z'n voorpoten.

"Waar had u dan op moet letten?"

"Kijk jongen, dat zit zo: als Fop in het najaar het nootje niet laat vallen, dan weet ik dat de winter lang zal duren en sprokkel ik meer hout. Maar ik heb er dit keer niet op gelet, dus zit ik zonder."

"Maar dan kunt u ook niet koken!"

"Nee… maar ik heb nog wat roggebrood en kastanjes."

"Dit is te gek," vond Arnie en stond resoluut op. "Ik ga hout voor u halen."

"Ach, laat maar," zei het oudje. "Ik vind het juist zo gezellig dat je er bent en nu loop je weer weg."

"Ik ga met m'n paard en ben zo weer terug. Legt u maar vast papier en lucifers klaar."

Hoofdschuddend sprong hij op het paard en vond de temperatuur buiten aangenamer dan in het krotje, waar hij de tocht door de kieren van het hout had gevoeld.

Tien minuten later was hij terug met een arm vol sprokkelhout en maakte hij de kachel aan.

Door het vochtige hout ontstond er veel rook, maar na een halfuurtje zei Plaggemie: "'t Wordt hier al lekker warm en het water voor de koffie begint al te zingen. Gezellig hè?"

Hij knikte instemmend en kromde zijn tenen waar alle gevoel uit verdwenen was.

Samen dronken ze koffie en Arnie nam de tijd om het vertrekje rond te kijken.

De wanden hingen vol met halmen en struiken en overal stonden potjes met zaden en kruiden. Nu het wat warmer werd in het vertrek, begonnen ze hun geur te verspreiden.

Ondanks de armoede die Plaggemientje en haar kamertje uitstraalden, een armoede die hem pijn deed, hing er een sfeer van tevredenheid en geluk.

De geur van de kruiden en de warmte die het vrouwtje uitdroeg, gaven hem het gevoel van 'veilig thuis zijn'. Plaggemientje en haar kamertje hadden iets betoverends. Iets waar je niet bij weg wilde, al had je nog zo'n haast.

Arnie rekte zich eens uit en trok zijn rijlaarzen uit om z'n voeten te warmen aan de kachel.

Nooit eerder had hij zoiets gedaan bij een ander, maar nu wel en hij schrok van z'n gedrag.

Beschaamd pakte hij z'n laarzen om ze weer snel aan te doen, maar dat verbood Plaggemientje. „Uitlaten," zei ze streng, „koude voeten zijn slecht voor je gestel. En je hebt koude voeten, dat zie ik aan je." Verbouwereerd gehoorzaamde hij en stelde maar geen vragen meer aan dat wonderlijke vrouwtje op het kistje aan de andere kant van de kachel.

„Ik moet weer eens naar huis," zei hij na enige tijd, „anders worden ze ongerust. Ik ben al zo'n poos weg. Maar vanmiddag kom ik terug met een voorraad hout."

„Dat is buitengewoon aardig van je," zei Plaggemientje terwijl ze opstond, „en voor mij een teken dat God zijn schaapjes nooit in de steek laat."

Ze sloot even de ogen en mompelde: „Dank u, Heer, voor de hulp die U zond."

Ze liet hem uit en greep bij de deur z'n beide handen. „Vertel eens, lieve jongen," zei ze op fluistertoon, „is ze lief en mooi, dat vrouwtje dat ineens die onrust in je ogen bracht?"

Ze keek hem aan met een blik waar hij niet van los kon komen. Oogjes waar je geen smoesjes aan dorst te vertellen en leugens helemaal niet.

„Ja," gaf hij volmondig toe.

Ze kneep nog even zijn handen, reikte hem de bonker aan en

wuifde hem na tot hij uit het zicht verdween.

Weer terug in haar kamertje liep ze regelrecht naar de kraai en foeterde: „Zeg, dat laat je in 't vervolg maar uit je lijf, hoor, om over onze gasten te praten waar ze bij zijn. Zelf zeg je altijd: wie geen geheim kan bewaren is niet waard dat-ie leeft. En nu zat je maar te krijsen: 't Was z'n eigen vader niet! 't Is z'n zuster niet! Ik schaamde me dood voor je! Ja, nu ben je wel gepikeerd, maar het lijkt nergens op. Laten we maar hopen dat die jongen het niet gehoord heeft!"

Met een boze frons liep Plaggemientje naar een opgezette uil en streek over z'n veren: „'k Ben blij dat jij op tijd kan zwijgen, Prof, want zwijgen is moeilijker dan spreken, zeker bij ons. Wij kunnen niet tegen onze gasten zeggen wat we van ze weten. Ook niet wat hun nog te wachten staat. Nee, dat kunnen we niet zeggen want dan vinden ze ons eng en durven niet meer terug te komen. Begrijp je nu, Kalle, wat ik zo-even bedoelde? O, gelukkig, je begrijpt het. Dat is fijn en dan is het hierbij weer goed tussen ons en daar ben ik blij om, want ik voel me heel ongelukkig als er hier ruzie is…"

Onderweg dacht Arnie nog na over Plaggemientje en haar leefwijze.

Als een ander zoiets had beleefd en het hem verteld zou hebben, zou-ie er waarschijnlijk om gelachen hebben. Maar nu niet. Plaggemientje was goed en het was fijn bij haar.

Zo vertelde hij het ook aan Mijntje, die hem al opwachtte toen hij het erf opkwam.

Samen stapelden ze blokken hout en wat turf op een slede en nadat alles goed was vastgesjord, gingen ze hun huis binnen.

„Is Widde thuis?" fluisterde Arnie in de deuropening. Ze schudde haar hoofd met een uitdagend lachje waarop hij haar omhelsde en kuste.

„Ik heb je gemist," bekende hij. „Als ik een paar uurtjes weg ben, verlang ik alweer naar je. Zelfs Plaggemientje zag het."

„Zei ze dat?"

„Ja, en ik denk dat ze wel weet hoe het met ons zit."

„Zou je denken?"

„Ja, ze weet meer dan jij of ik, maar ze is heel serieus en ik vertrouw haar volkomen. Je moet eens meegaan, ik weet zeker dat ze dat leuk zou vinden."

„Misschien doe ik dat wel een keer."

Mijntje stond op en liep naar de kachel om in een pan te roeren.

„Wat ruikt er zo lekker!" riep hij.

„Bonensoep," antwoordde Mijntje, „voor jou omdat je die zo lekker vindt."

„Oh, wat lief van je. Zou ik daar wat van mee mogen nemen naar Plaggemientje?"

„Hoe kan ik dat nou weigeren als je er zo'n bedelaarsgezicht bij trekt," lachte Mijntje en pakte een pannetje van de plank.

„Doe het maar in de kleine hooikist," zei Arnie, „dan is het nog warm als ik daar aankom."

Na de maaltijd haalde hij Ploos uit de stal en liet haar bij de regenput wachten om haar te zadelen. Korte tijd later kwam hij met het zadel uit de stal en bleef in de deuropening staan omdat hem ineens opviel hoe mooi Ploos was.

Zoals ze daar stond bij de regenput was ze een toonbeeld van schoonheid. Haar gitzwarte gestalte stak prachtig af bij de sneeuwhopen op de achtergrond. Haar sierlijke lijn, de golvende manen, de sokken rond haar enkels, het fier geheven hoofd, alles was mooi aan dit paard.

Er verscheen een warme gloed in Arnies ogen toen hij op het paard toeliep en aan de woorden van vader Ovink dacht: Ploos heeft alles wat een paardenliefhebber zich wenst.

„U heeft gelijk, vader," mompelde hij zacht voor zich uit en streelde Ploos.

Hij zadelde haar, maakte de slede vast en haalde nog wat planken uit de schuur.

„Wat moet je daarmee?" vroeg Mijntje die bij hem was komen staan.

„Die zijn om de kieren in het huisje te dichten. Je tocht er weg. En ik zal ook maar een hamer en wat spijkers meenemen, want ik heb zo'n idee dat die daar niet zijn."

Met een volgeladen slee reed hij richting Plaggemientje en

nam de kortste weg om de soep zo warm mogelijk te bezorgen en om het timmerwerk klaar te hebben voor de duisternis inviel.

De rustige stap van Ploos zorgde ervoor dat alles op de slede op z'n plaats bleef. Hoe anders zou het geweest zijn als Frouke de slede had moeten trekken, mijmerde hij.

„Zo gaat het goed, Ploos," prees hij het paard. „Je doet het keurig en zo doe je het altijd. Je bent een echte gareelloper, net als ik. We doen wat er van ons verwacht wordt en halen het niet in ons hoofd om eens iets te doen wat we graag zouden willen.

In het oog van menigeen zijn we saai en tonen gebrek aan avontuur en ondernemingslust. Maar jij en ik, Ploos, wij voelen ons prettig bij het leven van alledag en genieten van een vreedzame omgeving zoals hier op de heide in de stilte van de laatste winterdagen. En dat genieten van deze stilte en deze vrijheid is toch ook een teken van behoefte aan avontuur, vind je ook niet? Ik moet er niet aan denken een hele dag in een fabriek te werken. En vanmorgen liet jij blijken dat je ook wel eens iets anders wilde dan de stal. En weet je wat ik nou het meest vreemde aan mezelf vind?

Ik kies bijna altijd voor Frouke en Widde voor jou. Terwijl Widde eigenlijk meer bij Frouke past. Widde is ook onstuimig en heeft ook behoefte aan vrijheid.

En Widde kan ook geen teugels verdragen, net als Frouke. Ze willen hun eigen gang gaan. Misschien is het daarom wel dat Widde zich zo tegen mij afzet. Ik irriteer hem met mijn saaie leefpatroon. Maar de laatste weken, Ploos, is hij wat toeschietelijker geworden. Zo nu en dan praat hij weer tegen me en zegt gedag. Hij begon zelfs over m'n spaarbusje dat nog steeds in de keuken staat. Maar zover ben ik nog niet. Daar wil ik nog niets van hebben. Daar heeft-ie me te veel voor gekwetst.

Maar ik ben wel blij met z'n toenadering. Hij gaf me zelfs een gulden als terugbetaling van het geld dat ik hem leende. Ik had het bedrag al als verloren beschouwd want hij sprak er nooit meer over.

't Is een goed teken, Ploos. Misschien komt er weer wat vriendschap tussen hem en mij. 't Zou fijn zijn, ook voor

Mijntje. De Leeuwerikhoeve kan een wat betere sfeer best gebruiken, al wordt het natuurlijk nooit meer zoals vroeger toen vader nog leefde. Toen gaf de hoeve mij het gevoel van geborgen zijn. Onder vaders hoede zijn. Dat was een fijn gevoel, een veilig gevoel. Nu moet ik het alleen regelen. Ik heb niemand die ik om raad kan vragen als ik een beslissing moet nemen. Bij de dominee kan ik wel terecht als ik een probleem heb, maar niet als het om het bedrijf gaat, daar heeft hij geen verstand van.

Maar laten we de moed er maar in houden, Ploos, en vertrouwen op God. Hij heeft me vroeger in een veilige haven gebracht en zal me in andere zaken ook de weg wel wijzen.

Maar ik zie dat we onze bestemming hebben bereikt, Ploos. Je mag even uitrusten..."

Arnie stapte van het paard en zag dat Plaggemientje al in de deur stond. Ze had zich in een omslagdoek gewikkeld en sloeg een hand voor haar mond toen ze de volle slee zag.

„Is dat allemaal voor mij?!" vroeg ze ongelovig. „Ja, hier kunt u voorlopig even mee vooruit," lachte Arnie.

„Jongen toch," zei Plaggemientje verlegen, „je verwent me veel te veel."

„Helemaal niet," vond Arnie en begon de slede uit te laden.

„Wat moet je daarmee doen?" vroeg het oudje en wees naar de planken.

„Die timmer ik tegen de kieren aan, dan wordt het warmer in uw kamertje. Ik begin er meteen aan, dan is het klaar voor het donker wordt."

„Kom dan eerst nog even binnen," zei Plaggemientje, „ik heb een kruidenthee gemaakt waar je warm van blijft. Speciaal je voeten."

Ze dronken de thee waarna Arnie aan de slag ging. Tijdens het karweitje dacht hij ineens terug aan Plaggemientjes uitleg over de thee. Hij had haar beleefd aangehoord en er geen waarde aan gehecht. Maar nu hij buiten stond, voelde hij een merkwaardige warmte in z'n lichaam en een aangename tinteling in z'n voeten.

Wat knap van haar om dat allemaal te weten, overdacht Arnie. En wat vreemd dat vader niets van haar wilde horen. Hekserij had hij het werk van Plaggemientje genoemd.

Toen het timmerwerk klaar was en de houtblokken opgestapeld in het gangetje stonden, haalde Arnie het pannetje soep uit de kist en zette het op de kachel met de woorden: „Bonensoep, die heeft Mijntje voor u meegegeven. 't Is nog lekker warm dus u kunt het meteen eten."

„Wat een verrassing en wat ruikt het heerlijk," zei Plaggemientje dankbaar en haalde twee borden uit een kastje.

„Die soep is alleen voor u, hoor!" zei Arnie beslist. Hij zag haar teleurstelling en voegde er snel aan toe: „Ik heb niet zo'n trek, ik heb net gegeten."

„Een klein beetje dan," bedelde Plaggemientje. „Ik mag niet alleen eten als er een gast is, dan rust er geen zegen op de maaltijd."

„Vooruit dan maar," lachte Arnie toegeeflijk en keek toe hoe ze de borden vulde.

Ze schoven hun kistjes naar het kleine tafeltje waarna Plaggemientje haar handen vouwde en hardop bad: „Heer, ik dank u voor deze rijkgezegende dag. Ik dank u voor het zenden van mijn gast. Ik dank u voor het werk dat ik mag doen in de wonderlijke wereld van Uw Kruidentuin. Mijn kennis, Heer, is Uw Genade. Dank u Heer en zegen deze maaltijd. Amen."

Enigszins onder de indruk van het godsvertrouwen dat uit het gebed sprak, lepelde Arnie de soep totdat z'n gastvrouw vroeg: „Heeft je geliefde deze soep gemaakt?"

Hij bevestigde haar vraag niet zonder trots waarop ze zei: „Zeg haar dan maar dat het heerlijk is. Je boft maar met zo'n vrouwtje. Vind je 't leuk dat je vader wordt?"

Arnies lepel kletterde terug in z'n bord en hij gaapte Plaggemientje met open mond aan. „Vader wordt?!" herhaalde hij. „Hoe komt u daarbij. Dat eh... daar weet ik niks van. Wie heeft u dat verteld?"

Z'n verwarring was zo groot dat hij Plaggemientje ermee in verlegenheid bracht. Beschroomd kwam ze bij hem staan en zei spijtig: „Ik heb m'n mond voorbij gepraat, jongen. Ik dacht dat je het al wist. En weet je hoe dat nou komt? Dat komt omdat ik altijd alleen ben. Ik spreek m'n gedachten altijd hardop uit… Niemand hoort me immers. Maar dit keer helaas wel. Ben je nu boos op me?"

„Nee hoor," zei Arnie zenuwachtig, „nee hoor, helemaal niet. Maar ik moet nu wel naar huis, 't is al bijna donker, enne…"

„Ga maar, jongen, ga maar," suste het vrouwtje. „Ik begrijp je haast. Bedankt voor alles en je vrouwtje ook. En nogmaals: het spijt me!"

„Niet nodig," vond Arnie en schoot haastig zijn bonker aan.

„Zodra ik tijd heb, kom ik weer!" riep hij terwijl hij op het paard sprong en het dier aanspoorde tot spoed. Plaggemientje wuifde hem weer na en zag nog net hoe een zwerm kraaien driemaal boven het hoofd cirkelde van de man en zijn paard. „O Heer," mompelde ze hoofdschuddend, „o Heer…"

Thuisgekomen stormde hij de keuken in waar alleen Widde aanwezig was.

„Zit de veldwachter je op de hielen?" vroeg hij Arnie. „Je ziet er zo opgejaagd uit."

„Nee… dat niet, maar ik wou vóór donker thuis zijn. Is Mijntje er niet?"

„Die is bij de geit. Ze had behoefte aan een verzetje." Arnie gaf geen antwoord op het zure grapje van Widde. Ogenschijnlijk kalm liep hij naar buiten en omdat hij de ogen van Widde in z'n rug voelde, ontzadelde hij het paard en bracht het de stal binnen.

Via een kleine zijdeur in de stal liep hij om het wagenhuis heen en bereikte op die manier de achteringang van de schuur.

Hij hoorde Mijntje praten tegen de geit en stond in een ommezien bij haar.

„Mijntje… ben je zwanger?" vroeg hij op gejaagde toon.

Mijntje keek hem verbluft aan en vroeg: „Van wie weet je dat?"

„Plaggemientje liet het zich ontvallen. Ze dacht dat ik het al wist."

„Maar van wie kan Plaggemientje het dan gehoord hebben?" vroeg Mijntje zich hardop af. „Ik weet het zelf nog maar net. 'k Ben vanmiddag naar de baker geweest omdat ik al een paar maanden niet gebloed heb en aan haar woorden dacht van toen… weet je nog wel?"

„Ja ja, dat weet ik nog, maar wat zei ze tegen je?"
Ze zei: „Ga de luiermand maar klaarmaken. Je bent beter thuis in de liefde dan je broer. Is-ie nog steeds zo onnozel met vrouwen? Stuur 'm dan maar eens naar mij. Ik zal hem wel wijzer maken."
„Mal mens," zei Arnie minachtend en trok Mijntje tegen zich aan.
„Dus je bent zwanger," zei hij met een trilling in z'n stem.
„Ja... vind je het fijn?"
„Geweldig zelfs, maar ik ben er een beetje van uit m'n doen. 'k Heb aan zoiets nooit gedacht. Dom hè?"
„Dan zijn we allebei dom," lachte Mijntje stralend, „want ik heb er ook nooit bij stilgestaan. Maar wat maakt het uit, we zijn gelukkig en vanavond ga ik moeders bruidsjapon passen en kijken wat ik er aan veranderen moet."
„Moeders bruidsjapon passen!" riep Arnie verbaasd. „Wat wil je daar dan mee?"
„Maar Arnie toch! Begrijp je dat dan niet? Ik ben zwanger en als een meisje zwanger is van een eerzame jongen, nou, dan gaan ze zo spoedig mogelijk trouwen. Dat weet jij toch ook?"
„Ja lieverd, dat weet ik en ik zou ook niets liever willen dan dat, maar... en nu hoop ik dat je mij ook begrijpt, bij ons ligt dit anders. Wij kunnen niet trouwen, Mijntje, en dat besef ik ook pas sinds een kwartier. M'n eerste impuls op weg naar huis was: Mijntje en ik gaan trouwen. Maar dat was een vreugderoes. Ik verkeerde met mijn hoofd in de wolken, daarna viel ik terug op de aarde en besefte dat alles weer in het geniep zal moeten. Jij en ik, Mijntje, wij zijn volgens de burgerlijke stand broer en zus, dus kunnen we niet trouwen en daar ben ik net zo bedroefd om als jij. Ik zeg dit ook om je te behoeden voor teleurstellingen. Jouw verdriet is immers ook mijn verdriet. En nu wil ik je kussen en gelukkig zijn met het nieuwe leven dat je bij je draagt. De vrucht van onze liefde..."
Maar Mijntje was niet in de stemming voor een kus.
Ze wendde haar hoofd af en er blonken tranen in haar ogen toen ze met verstikte stem zei: „Dus ik zal nooit de bruid kunnen zijn?"

„Nee Mijntje, dat is onmogelijk. Of je moet een andere man gaan liefhebben."

Mijntje maakte een driftig gebaar. „Nee, ik wil geen ander, ik wil alleen jou."

„Dan zullen we in de feiten moeten berusten, Mijntje."

„Waarom dan wel? We kunnen toch rondvertellen dat we geen broer en zuster zijn?"

„En onze ouders dan?" vroeg Arnie haar. „Moeten we die dan maar verraden? Zou je dat willen, Mijntje?"

„Nee, dat wil ik ook weer niet," huilde Mijntje. „Maar er moet toch een oplossing zijn, we kunnen zo toch niet doorgaan? Ik ga een kind krijgen en dat kind heeft geen vader terwijl het wél een vader heeft. Dat kan toch niet? Dat is toch niet eerlijk?"

„Dat is het ook niet, Mijntje," antwoordde Arnie bij wie de vreugde om het vaderschap danig afnam bij het zien van Mijntjes tranen en de problemen die hem langzaamaan duidelijk werden.

Z'n stem klonk dan ook mat toen hij zei: „Mijntje, wend je hoofd niet langer van me af, dat maakt me verdrietig. Kom even tegen me aan staan en leg je hoofd op m'n schouder, zoals je wel vaker doet. Het geeft me zo'n gelukkig gevoel en niemand kan ons immers verbieden gelukkig te zijn? En wie weet komt er toch nog een oplossing voor ons…"

Mijntje keerde zich naar hem toe en glimlachte door haar tranen heen. „Je bent een verleider, maar je hebt wel gelijk, laten we het geluk stelen zolang het er is…"

Een uur later kwam de dominee de keuken binnen en wenste Widde onder vier ogen te spreken. Om die reden verliet Mijntje de keuken en zocht Arnie op die in de schuur het pootgoed controleerde.

Omdat de schuur aan de keuken grensde, zei ze op gedempte toon: „De dominee is binnen bij Widde, vind je dat ik het hem vertellen moet?"

Arnie plofte op een zak pootgoed en woelde peinzend door z'n haar. „Ik zou daar nog even mee wachten," zei hij uiteindelijk.

„Je bent al van streek en dan nog zo'n gesprek. Dat zal te veel voor je zijn op één dag, want het zal best een moeilijk gesprek worden."

„Waarom moeilijk?" vroeg Mijntje verwonderd.

„Nou, de dominee zal zeker heel verbaasd zijn over je zwangerschap. Bij zijn weten heb je geen kennis aan een man. Wat moet je dan zeggen? En wat moet je zeggen als hij je vraagt of de vader van je kind jou wil huwen? Dat zal een zwaar punt voor..."

„Hou maar op," viel Mijntje hem wrevelig in de rede, „'t lijkt wel of je vandaag niets leuks weet te zeggen. Je somt allemaal problemen op. Weet je wat ik doe? Ik zeg helemaal niets tegen de dominee. Hij zal het wel zien als hij tegen m'n dikke buik oploopt..."

Met driftige passen liep Mijntje de schuur uit, verbouwereerd nagekeken door Arnie. Nooit eerder had ze zo'n toon aangeslagen en het was juist dát wat hem zeer deed. Met z'n hoofd in de handen staarde hij naar de vloer. 'Wat had hij fout gedaan? Had hij Mijntje in haar feestroes moeten laten? Had hij daarin mee moeten gaan en al die harde nare feiten moeten verzwijgen? Haar aan moeders trouwjurk moeten laten werken zonder dat ze die ooit kon dragen? Zou dat eerlijk zijn geweest?

Zou Mijntje begrijpen dat al die problemen hem even zeer deden als haar en dat hij niets liever zou willen dan haar naar het altaar brengen? Ja, dat wist ze en ze was ook slim genoeg om te begrijpen dat alles wat hij zo-even had gezegd de realiteit was.

Maar Mijntje wilde die akelige waarheden niet horen. Ze wilde blij zijn met haar aanstaande moederschap. Een mooie bruid zijn. Ze was ook niet boos op hem, maar op de problemen die haar dromen in het water lieten vallen. Zo moest hij het zien en zich niet langer gekwetst voelen door haar houding zo-even. En morgen... morgen moest hij maar eens naar Bargveen gaan om iets moois voor haar te kopen.

Voor haar en voor het kindje...

De volgende ochtend kwam hij in z'n zondagse kleren de keuken binnen en verbaasde zich erover dat alles nog donker was.

Hij stak de olielamp aan, stookte de kachel op en liep terug naar boven waar hij op Mijntjes deur klopte. Toen hij die opende zag hij haar op de rand van haar bed zitten met een po in haar handen.

„Ben je ziek?" vroeg hij geschrokken.

„Nee, dat niet, maar ik moet al een paar weken overgeven als ik 's morgens wakker word. Het hoort erbij, zei de baker."

„O, daar wist ik niks van. Dat moet je me wel vertellen, hoor. Ik wil met je meeleven. En ga nu maar terug in bed, 't is veel te koud zo in je nachtpon. Ik ga koffie zetten en brood maken, als je er trek in hebt kom je maar. Of zal ik het boven brengen?"

„Nee, dat hoeft niet, ik knap zo weer op. Maar waarom heb je je goeie goed aan?"

„Ik moet naar Bargveen. De zaag is bot en de spijkers raken op. Heb jij nog iets nodig?"

„Ja, een ochtendkus."

„O Mijntje, wat ben ik blij dat je dit vraagt na het vervelende gesprek van gisteren. Ik wilde me niet aan je opdringen, daarom deed ik niets."

„Mallerd," lachte Mijntje, „je moet je niet alles zo aantrekken. Ik zal wel eens vaker wat kattig of huilerig zijn en dat weet ik allemaal van de baker."

„Ik zal met al die nieuwigheden rekening houding," lachte Arnie en sloeg z'n armen om haar heen.

Terug in de keuken pakte hij zijn spaarbusje van de schouwen liet het peinzend door z'n handen gaan. Vandaag had-ie meer geld nodig dan wat er in z'n kamertje lag. Vandaag moest er iets moois gekocht worden. Iets waar Mijntjes ogen van zouden stralen. Hoeveel geld zou er in het busje zitten?

Widde en Mijntje hadden er nooit over gesproken en dat hoefde ook niet. Straks als hij het sleuteltje bij de dominee had gehaald, zou hij het weten.

't Was moeilijk om die gang naar de dominee te maken, want het was geld waar hij eigenlijk geen prijs meer op stelde. Maar ja, van de andere kant bezien: vader Ovink had het hem gegund en met liefde gegeven en nu ging het met liefde terug naar zijn dochter en toekomstig kleinkind.

Anderhalf uur later liet hij de klopper op de deur van de pastorie neerkomen en deed een dienstmeisje hem open. Ze herkende hem nog van de kerstmaaltijd en ging hem heupwiegend voor naar de ontvangkamer.

„Ik zal de dominee zeggen dat je er bent," zei ze lacherig.

Nadat ze weg was dacht hij ineens na over de reden van z'n komst naar de dominee.

Het sleuteltje halen had toch wel iets weg van schooien om geld. Maar ja, zo wilde vader het nu eenmaal.

„Zo Arnie," zei de dominee bij z'n binnenkomst, „wat brengt jou zo vroeg hier, toch geen narigheid?"

„Nee dominee, ik kom... ik wil m'n spaarbusje openen."

„Ah, je komt dus voor het sleuteltje. Daar heb je lang mee gewacht. Heb je weinig wensen of ben je zo zuinig?"

„Op de hoeve valt er niet veel uit te geven, dominee."

„Nee, dat is zo, maar je broer weet er wel raad mee. En nu ik het toch over je broer heb: was hij om half tien thuis gisteravond?"

Arnie keek de dominee recht in de ogen, maar zweeg. „Ik vroeg je iets Arnie, en daar wil ik antwoord op," zei de dominee met enige dwang. „Ik ben z'n voogd en heb het recht te weten of hij naar me luistert."

Arnies kin schoot naar voren en hij ontweek de doordringende blik van de ander niet toen hij zei: „Dat recht heeft u inderdaad, dominee, maar ik voel me niet geroepen om de verklikker van m'n broer te zijn. Als u dat van mij verwacht, zaait u tweedracht tussen mij en m'n broer."

De dominee staarde hem perplex aan. Zulke tegenspraak was hem zelden of nooit overkomen. Wat verbeeldde die snotneus zich wel...

„Dus je wilt niet meewerken aan het welzijn van je broer?" vroeg hij bits.

„Nee dominee, niet op die manier."

„Je valt me tegen," zei de dominee wiens hoofd steeds roder werd, „ik heb je altijd aangezien voor een aardige meegaande jongen. Een jongen die gehoorzaamde aan het gezag van ouderen en deed wat hij moest doen. Zo sprak je vader ook over je, maar nu bewijs je het tegendeel. Komt dat omdat je denkt dat je nu heer en meester over de hoeve bent? Is alle deemoed tegenover God en je meerderen je vreemd geworden? Dan heb ik hier een brief liggen die je benen wel weer op de aarde terugbrengen. Alsjeblieft, van de weledele heer Buwalda van Larikxhoven..."

Geschrokken door de felle uitval pakte Arnie de brief aan. Hij wist niet dat z'n konen inmiddels een dieprode kleur hadden gekregen en z'n hand met de brief trilde toen hij onzeker vroeg: „Heeft de heer Buwalda u een brief gestuurd voor mij?"

„Ja, en dat komt omdat ik een goed woordje voor je heb gedaan om zodoende de pacht van de hoeve op jouw naam te krijgen."

„Dat is heel vriendelijk van u," vond Arnie oprecht.

De dominee deed echter alsof hij dat laatste niet hoorde en vervolgde: „Je hoeft de brief niet te lezen want die bevat slechts één regel en die luidt: tot mijn spijt moet ik u mededelen dat het pachtcontract, wat betreft de bewoners van de Leeuwerikhoeve, per 31 oktober a.s. is verlopen en niet zal worden verlengd..."

Secondenlang staarde Arnie naar de brief en beet op z'n lip om z'n gevoelens de baas te blijven.

Dominee mocht niet zien dat er tranen achter z'n ogen brandden. Dominee mocht niet weten dat de Leeuwerikhoeve z'n lust en z'n leven was. Een leven vol liefde na eerst te zijn afgedankt...

Langzaam rees hij uit z'n stoel omhoog en rechtte zijn rug.

„Ik dank u nogmaals voor de gedane moeite, dominee," bracht hij moeilijk uit, „als ik het sleuteltje van u krijg, zal ik u niet langer van uw werk houden."

„O ja, het sleuteltje. Ik was het bijna vergeten," zei de dominee ineens vriendelijker.

Hij ging Arnie voor in de lange gang en sprak hem bemoedigend toe: „Kop op, hoor jongen, God verlaat de Zijnen niet. In de komende dagen zie je mij wel weer en kunnen we over de toekomst praten. Doe de groeten aan je zuster en wees trots op haar. 't Is een keurig meisje..."

Op de stoep van de pastorie bleef Arnie staan en staarde met nietsziende ogen naar de keien.

Eenendertig oktober. Eenendertig oktober. Die datum gonsde door zijn hoofd. En wat daarna... waar moesten ze heen? Zou de dominee Mijntje en Widde in huis nemen? Ze waren immers zijn beschermelingen.

Had het nog zin om de akkers in te zaaien en de aardappels te poten? Waar moesten Frouke en Ploos blijven? En hoever was Mijntjes zwangerschap tegen die tijd? Mijntje, haar naam ging als een schok door hem heen.

Mijntje mocht de brief beslist niet lezen. Dat moest haar voorlopig bespaard blijven...

Als een standbeeld stond Arnie op de stoep en zag niet dat voorbijgangers verbaasd en soms lachend naar hem omkeken. Totdat iemand hem aanstootte en riep: „Hé joh, ga es opzij, je staat in de weg!"

Haastig ging Arnie ervandoor en sloeg een zijstraat in op zoek naar een herberg. Even bijkomen en z'n gedachten ordenen.

De eerste herberg die hij zag ging hij binnen en bestelde koffie. De kleine ruimte zag blauw van de rook en het was er bomvol, maar daar was hij blij mee. Niemand zou immers op hem letten.

Nadat de koffie hem was voorgezet, verwijderde hij zich naar een groezelig hok waar wc op stond.

Hij deed het haakje op de deur en opende het spaarbusje. Het zat vol rijksdaalders en guldens en hij schatte de inhoud op zeker honderdenvijftig gulden.

Pfff... wat een kapitaal had vader voor hen gespaard en met zoveel geld stond-ie in een herberg. Dat was oppassen geblazen! Er waren altijd lieden die dit soort gelegenheden opzochten om hun lange vingers te testen... Hij telde vijfentwintig gulden uit en liet het busje weer in z'n broekzak glijden.

Terug bij z'n tafeltje dronk hij z'n lauwe koffie uit en haalde een potloodje en papier uit z'n borstzak.

Stel dat Mijntje twee maanden zwanger was, dan zou het kindje over zeven maanden komen. 't Was nu maart...

Hij telde de maanden uit op een kladje en eindigde bij oktober.

Oktober... slechter kon het niet. Mijntje in het kraambed terwijl het huis moest worden leeggehaald...

Arnie zuchtte diep en maakte het bovenste knoopje van z'n boezeroen los...

Die dure ring voor Mijntje kon nu niet doorgaan. De rest van het geld moest in het busje blijven voor de kwade dag. Maar de ring van vijftien gulden die hij had gezien was ook mooi en daar zou Mijntje zeker blij mee zijn.

't Zou beter zijn om helemaal niets te kopen, maar Mijntje had een opfleuring nodig. Er kwam nog narigheid genoeg...

Arnie stond op en rekende de koffie af en liep, met z'n hand op zijn kapitaal de herberg uit op weg naar de juwelier.

Toen Mijntje de ring zag kon ze haar ogen er niet van afhouden en straalde ze nog meer dan het mooi geslepen steentje in de ring.

„En hij past precies!" riep ze verrukt. „Hoe wist je de maat zo goed?"

„Het winkelmeisje had net zulke kleine handjes als jij," antwoordde Arnie met een blik van voldoening en zag hoe Mijntje de ring teruglegde tussen de roze watten in het doosje.

„Waarom doe je de ring af?" vroeg hij verwonderd.

„Ik beschouw hem als m'n trouwring," antwoordde Mijntje plechtig, „maar draag hem alleen op zondag. Hij is te mooi om bij het werk te dragen."

Nadat ze het doosje in de ladekast had gelegd, schoof ze haar stoel dichter bij Arnie en pakte z'n hand. „Wanneer zullen we het Widde vertellen?" vroeg ze. „Widde moet het toch ook weten?"

„Ja, dat zal moeten, Mijntje, maar ik vind het een moeilijk onderwerp en ik denk dat hij het niet leuk vindt. Maar we kunnen ook niet wachten tot hij het aan je ziet."

HOOFDSTUK 6

Ruim een maand nadien raapte Arnie zijn moed bijeen om Widde in te lichten.

't Werd een kort gesprek waarin Widde opmerkte dat-ie zoiets wel verwacht had. „Jullie hadden altijd al iets kleverigs," vond hij. „Maar wat wil je: een normale meid komt op jou niet af." Met deze woorden was voor Widde de kous af en hij maakte aanstalten om te vertrekken. Bij de deur bleef hij echter staan en zei op een wat smalende toon: „Ik heb altijd gehoord dat kinderen krijgen een gezonde ziekte is bij een vrouw. Maar dat kan ik van m'n zuster niet zeggen, ze ligt de laatste weken meer op bed dan dat ze beneden is. Je mag er wel eens een dokter bij halen."

Nog lang keek Arnie naar de deur die Widde achter zich had dichtgetrokken en hij leek zichtbaar geschrokken van Widdes woorden.

Dus het was niet normaal dat Mijntje zich niet goed voelde en steeds vaker moe was en geen eetlust had. Wat dom om te denken dat dat er allemaal bij hoorde en wat een geluk dat Widde er meer van af wist. Mijntje moest zo snel mogelijk naar de dokter...

Maar Mijntje wilde van geen dokter weten.

„'t Hoort er allemaal bij," verdedigde ze zich. „De baker heeft het me gezegd en wat kan een dokter dan aan zoiets doen? Het zal wel over zijn als het kind er is. Zo denk ik erover...!"

En van die gedachten kon Arnie haar niet afbrengen. Hoezeer hij haar ook trachtte te overtuigen, Mijntje bleef bij haar standpunt. Totdat de dominee op een dag kwam en haar voor de zoveelste keer niet aantrof.

„Is Mijntje niet thuis of is ze ziek?" vroeg hij Widde.

„Ziek," antwoordde Widde die niet van plan leek er veel woorden aan vuil te maken. Zeker niet tegen de dominee van wie hij liever z'n hielen dan z'n tenen zag.

„Dan zie ik me nu toch genoodzaakt om maatregelen te nemen," zei de dominee en keek verstoord naar Widde die onderuitgezakt in een stoel hing en de krant bleef lezen.

„Heb je gehoord wat ik gezegd heb, Widde?" zei hij wat luider.

„Ja, dat heb ik en u moet maar doen wat u denkt te moeten doen."

„Ben je dan niet begaan met je zuster?"

Widde haalde onverschillig z'n schouders op bij die opmerking. „Ze trekt meer naar m'n broer."

„En waar is je broer?"

„Die is naar Plaggemientje om een oppeppertje te halen voor m'n zus."

„Naar Plaggemientje?! Is-ie gek geworden?! Sinds wanneer houden de Ovinks zich op met hekserij! Als jullie vader dit wist zou-ie zich omdraaien in z'n graf. Het wordt hoog tijd dat er een degelijke leiding komt in dit gezin. Zo gaat het niet langer!"

„Vindt u?" zei Widde en slenterde de keuken uit. Hij botste daarbij tegen Mijntje aan die op de stemverheffing van de dominee was afgekomen.

„Dag dominee!" riep ze zo opgewekt mogelijk.

De dominee keek haar geschrokken aan. „Kind, wat zie je er slecht uit. Je oogt bleek en je wangen zijn ingevallen. Ga maar gauw naar bed, morgen komt de dokter!" Vóór Mijntje er een woord tegenin kon brengen, was de dominee al weg en hoorde ze de wielen van het koetsje over de keien gaan.

De volgende morgen kwam hij terug in gezelschap van de dokter. Deze vroeg Mijntje mee te gaan naar een ander vertrek waarna de twee de zondagskamer binnengingen en de dominee met Arnie en Widde in de keuken bleef. „Als het maar geen tuberculose is," verbrak de dominee de stilte. „Dat heerst op het ogenblik."

„Nou nou," zei Widde, „u bent ook geen opgewekt gezelschap."

„Ik ben een zorgzaam mens, Widde, en dat is ook mijn taak. Het leven bestaat niet alleen uit plezier, vind je ook niet, Arnie?"

Maar Arnie hoorde niets. Hij staarde met een bleek gespannen gezicht voor zich uit en z'n nagels drukten zich in z'n handpalmen.

Straks zou de dominee de waarheid horen en dan was het hek

van de dam. En wat was er met Mijntje aan de hand? Zou ze inderdaad tuberculose hebben? Dat zou vreselijk zijn, want daar zou Mijntje aan kunnen sterven. Langzaam maar zeker zou ze wegteren tot de dood erop volgde, net als de enige zoon van boer Brummer... en wat duurde het lang voor de dokter en Mijntje terugkwamen. Zou er dan toch iets ernstigs zijn...?

„Waar zit je met je gedachten, Arnie? Ik vroeg je iets." De stem van de dominee haalde Arnie terug bij de keukentafel.

„Zei u iets, dominee?" vroeg hij.

„Ja, ik zei..."

Op dat moment kwam de dokter en ook Mijntje de keuken binnen en de dokter zei kort en bondig: „Uw beschermelinge is zwanger, dominee."

Het leek er even op alsof de dominee van z'n stoel zou vallen. Hij greep de tafel vast en gaapte de dokter ongelovig aan.

„Zwanger?! Zwanger?! Voor zover ik weet heeft ze helemaal geen kennis aan een man. Ze komt nauwelijks van het erf af." En tot Mijntje: „Wat verzwijg je voor me? Ik eis van je dat je me de waarheid zegt."

De strenge toon waarop de dominee sprak en de geladen stilte die er na zijn woorden viel, brachten Mijntje helemaal uit haar doen. Met wringende handen en een hoogrode kleur keek ze van de een naar de ander, behalve naar Arnie want een blik op hem zou immers alles verraden, ook vader...

Nee, vader... ging het door haar heen, nee, vader, ik zeg niets. Ik hou nog altijd van u en zal niet spreken. Nu niet en nooit...

„'t Was een korte verliefdheid, dominee... dominee..." loog ze stamelend.

„Mooi is dat!" viel de dominee uit. „En dat is allemaal voor mij verzwegen. En ik maar denken dat je een keurig meisje bent. 't Is een schande. Als ik alles geweten had, zou ik me nooit als voogd voor jullie hebben opgeworpen. Hoe moet ik dit verantwoorden tegenover de heer Rademakers, jullie toeziend voogd? En is die man, de verwekker van je kind, genegen met je in het huwelijk te treden?"

Het bleef even stil en Mijntje richtte haar blik strak op de plavuizen van de keukenvloer toen ze antwoordde: „Hij eh… hij is weg…"

„Wég?! Wég?! Wat bedoel je met wég! Is-ie zomaar opgelost als een zeepbel?"

„Nnneee… dat niet… maar eh… het was een marskramer."

„Een marskramer?! Lieve God, hoe haal je het in je hoofd. Dat zijn net loopse honden. Ze vinden altijd wel een botje en het liefst met vlees eraan. Ik heb hier echt geen woorden voor, Mijntje. U wel, dokter?"

„Ik vind, dominee, dat de patiënte even wat rust moet worden gegund. Ze is van streek, zo te zien, en ook niet in goede conditie."

„Dat kan wel zijn," vond de dominee, „maar weet u eigenlijk wel, dokter, hoe er geroddeld wordt in dit soort buurtschappen?"

„Daar zal dit meisje weinig van horen, dominee, want als arts raad ik aan haar op te laten nemen. Ze moet onder voortdurende medische controle staan want ze heeft bloedarmoede, lijdt aan duizelingen en verliest zo nu en dan ook bloed. Op de boerderij blijven is daardoor onverantwoordelijk. De hoeve ligt te veraf om snel te kunnen ingrijpen. Bovendien staat ze alleen wat betreft het huishoudelijk werk en dat is in haar huidige omstandigheden veel te zwaar."

Mijntjes vonnis leek geveld en zo voelde ze het ook. Met alle felheid die ze bezat ging ze in de aanval om haar veroordeling teniet te doen.

„Maar dokter, u kunt mij hier zomaar niet weghalen, hoor! Dat mag u niet doen want dan stuurt u alles in de war. Ik zorg al vanaf mijn twaalfde voor mijn broers en wie gaat dat doen als ik weg ben? Wie wast er voor ze? Wie kookt er voor ze als ze een hele dag op het land gewerkt hebben? Wie zorgt er voor de geit en het varken en denkt u ook eens aan mij. Ik ben hier geboren en bijna nooit weggeweest. Ik hou van deze plek, van dit huis, van m'n broers, van m'n dieren. Ik kan ze niet missen, dokter. Ik kan niet… zonder… ze… echt niet… en als… als…"

Mijntje moest haar betoog staken, ze kwam niet meer uit haar woorden en barstte in tranen uit.

Even veerde Arnie van z'n stoel om haar bij te staan, maar hij

bedacht zich op tijd. Mijntje had elk oogcontact met hem zorgvuldig vermeden. Ze had voor hém en voor haar vader gelogen. Nu moest hij geen opvallende dingen doen.
Met tegenzin ging hij zitten en keek vanuit zijn ooghoeken
naar Widde.
Zou Widde z'n zuster troosten?
Maar Widde deed niks en Mijntjes tranen deden hem ook niks.
Z'n zus moest maar eens een lesje hebben. Kon ze eens voelen
hoe het was om een klap in je gezicht te krijgen. Arnies ogen
gleden naar de dominee.
Zou de dominee Mijntje troosten? Hij keek nog steeds met een
boze blik naar haar en had een ontevreden trek rond z'n
mond…
Het was de dokter die op Mijntje toeliep met een verwijtende
blik naar Arnie en Widde: Hoe konden die broers zo ijzig blijven toekijken terwijl zo'n meisje liet blijken hoeveel ze voor
haar betekenden. Harde boerenkoppen waren het…
De dokter boog zich over Mijntje heen. „'t Is maar tijdelijk,
kind," troostte hij. „Als alles goed gaat met jou en je kindje,
mag je weer naar huis."
„Is dat echt waar, dokter?"
„Wat mij betreft wel, kind, maar ik weet niet hoe je voogd en
toeziend voogd daarover denken."
„Dat hoort ze morgen van de toeziend voogd," mengde de
dominee zich in het gesprek en maakte aanstalten om te vertrekken. „Hij is de man die de wet kent in zo'n geval en er ook
naar handelt."

Nadat de dominee en de dokter waren vertrokken en Widde
vond dat-ie een luchtje mocht scheppen, sloeg Arnie zijn
armen om Mijntje heen en trok haar op schoot.
Lang zaten ze zo zonder te spreken en met hun gezichten
tegen elkaar. Aangeslagen door de harde woorden die gevallen waren en het uiteindelijk advies van de dokter. Een advies
met vérstrekkende gevolgen want als alles zou gaan zoals was
gezegd, zouden hun wegen zich scheiden en dat was iets
onvoorstelbaars. Nooit eerder waren ze van elkaars zijde
geweken. Verknocht aan elkaar en verstrengeld in hun bele-

vingswereld. Eerst als kind en nu als man tegenover vrouw.
„'t Lijkt wel of een mens niet gelukkig mag zijn," zei Mijntje als eerste en op bittere toon.

„Daar lijkt het wel op," vond ook Arnie en veegde haastig met z'n mouw langs z'n ogen, „maar we kunnen niemand iets verwijten, Mijntje. We hebben het lot tegen ons en dan valt er weinig te vechten. Maar laten we niet wanhopen en op God vertrouwen zoals vader en moeder dat ook altijd deden."

„Daar durf ik eigenlijk niet meer op te vertrouwen," bekende Mijntje somber. „Ik heb gelogen tegen de dominee en vader zei altijd als je tegen de dominee liegt, lieg je tegen God."

„Dat is waar," beaamde Arnie, „en zo voelde ik het ook toen je daar zo stond en al die onware dingen zei. Maar je kon niet anders. Je had geen keus. Onze liefde is één lange leugen. We liegen om de leugen van mijn bestaan te verdoezelen, want zo is het toch, Mijntje?"

Mijntje knikte en Arnie tilde haar van z'n schoot. „Ik moet hoognodig naar de paarden," verontschuldigde hij zich, „die arme dieren wachten al meer dan een uur op hun eten."

Met roodbehuilde ogen keek Mijntje hem na en ging voor het keukenraam staan.

Hoelang zou ze hem nog om zich heen hebben? Hoelang zou ze nog van dit uitzicht mogen genieten. De beek horen ruisen. De geur van het voorjaar mogen opsnuiven. Hoelang nog?

Met tegenzin wendde ze haar blik af en liep naar het washok. Ze moest maar eens aan de slag. Duizelig of niet. Als ze onverwachts weg moest mocht er geen vuile was liggen. Alles moest schoon en dat was veel want er was nogal eens iets blijven liggen de laatste tijd.

Ze moest ook maar een flinke pan bonensoep koken, dan hadden de jongens voor een paar dagen het eten klaar; ze zouden het immers druk genoeg hebben zonder hun zus. 't Zal allemaal wel op Arnie neerkomen. Widde zal z'n kostje wel elders opscharrelen.

Het werd een drukke dag voor Mijntje en tegen de avond liet ze zich doodmoe op bed vallen.

Arnie kwam nog een poosje bij haar zitten en samen deden ze

hun avondgebed. Ze vroegen God om vergeving van hun leugens en of Hij hun wegen niet te lang gescheiden wilde houden. Om klokslag negen uur de volgende morgen dienden de dominee en de heer Rademakers zich aan en namen plaats aan de tafel in de zondagskamer.

De heer Rademakers legde een stapel paperassen op tafel, zette een lorgnet op en begon met eentonige stem de artikelen uit het Wetboek voor te lezen waar, behalve hijzelf, niemand van de aanwezigen iets van begreep.

Z'n eenpersoons voordracht duurde lang. Veel te lang voor Mijntje, die zenuwachtig op haar nagels beet.

„Ik begrijp er niets van!" riep ze toen de heer Rademakers eindelijk een slokje van zijn koffie nam. „Kunt u ons niet gewoon vertellen wat u eigenlijk bedoelt?"

De heer Rademakers, een man van aanzien en gezag, keek haar verstoord aan en vertrok hij geen spier toen hij antwoordde: „Wat ik hier en nu doe is niets meer of minder dan mijn plicht, mij opgedragen door de wet."

„O... nu is alles me ineens duidelijk," zei Mijntje en begon, mede door de gespannen sfeer, te giechelen. Ze haalde zich daarmee de ergernis van de dominee op de hals die haar een dom kind noemde.

Om aan de twee strenge gezichten te ontkomen, mompelde Mijntje iets over koffie en liep de kamer uit. Toen ze met de koffieketel terugkwam, was de heer Rademakers zijn papieren aan 't stapelen en keek haar van over z'n lorgnet aan. „Dit alles betekent," begon hij, „dat jij, Willemijntje Lambertina Ovink, geboren op de zestiende november van het jaar achttienhonderdenvijftig in het gehucht Oud-Eijkelaer behorende bij de gemeente Bargveen, zijnde de dochter van Lobbrecht Nicolas Ovink en van Arnoldia Wigarda Beetsma vanaf heden, dat wil zeggen: de zeventiende april achttienhonderdnegenenzestig, wordt toevertrouwd aan een tehuis voor minderjarige ongehuwde moeders. Het tehuis is gelegen in Zuijlestede een plaatsje in de provincie Groningen."

„Groningen?!" riepen Mijntje en Arnie als uit één mond.

„Ja Groningen, maar de afstand valt wel mee. Het ligt van hieruit bekeken net over de grens."

„Maar waarom een tehuis voor ongehuwde moeders?" vroeg Arnie. „Mijntje zou toch naar een hospitaal gaan?"

„Ja," viel Mijntje hem bij, „dat heb ik ook begrepen en zo zei de dokter het ook."

„De dokter is een medicus," zei de heer Rademakers, „en de meeste medici hebben geen verstand van wettelijke zaken. Volgens de wet behoor jij in het tehuis dat ik zo-even noemde. Je bent een wees, minderjarig en bovendien zwanger met complicaties. Je komt daar onder goede controle te staan, zowel medisch als opvoedkundig."

„En... eh..." begon Mijntje onzeker, „... en mag ik dan weer naar huis als het kindje er is?"

De heer Rademakers keek haar ijzig aan. „Naar huis? Hoe kom je daar nou bij. Door zwanger te raken heb je laten blijken dat je niet zonder toezicht kan. Daardoor moet je in het tehuis blijven tot je meerderjarig bent, dus tot je drieëntwintigste jaar. Daarna wordt je dossier opnieuw bekeken."

't Was Mijntje alsof de wereld verging. Ze zocht steun bij een stoel en zakte daar lijkbleek op neer terwijl haar blik gevestigd bleef op de man van de jobstijding. „Dat kunt u niet menen... meneer," zei ze met een stem die bijna wegviel. „Dat is onmenselijk... zoiets overleef ik niet..."

Mijntje sloeg haar handen voor haar gezicht en brak in snikken uit terwijl de heer Rademakers onverstoorbaar door ratelde. „Niet overleven? Ach kom. Al die meisjes overleven het. 't Is een goed tehuis met goede voeding en goede reglementen. Je leert er veel meer dan in dit gehucht, dat weet ik zeker. Je leert met anderen samen te werken. Je krijgt les in koken. Je moet in de linnenkamer werken. Je leert welgemanierd te zijn. Kortom, tegen de tijd dat je meerderjarig bent kun je in alle goede kringen terecht als dienstbode, zodat je zelf in je..."

„Hou op! Hou op!" bulderde het ineens in de zondagskamer.

Het was Arnie die buiten zichzelf leek te zijn en op de heer Rademakers afstoof. Z'n vuisten balden zich voor het gezicht van de man van de harde woorden, die van schrik enige stappen achteruit deed.

„Ik wil geen woord meer van u horen!" tierde Arnie. „Geen

enkel woord, hoort u mij? Ik sta u niet langer toe mijn geliefde... zuster overstuur te maken, of ziet u niet hoe moeilijk ze het heeft? Nee, natuurlijk ziet u dat niet omdat u niet begrijpt wat het voor haar betekent hier weg te moeten. Weg van alles wat ze liefheeft. Maar dat begrijpt u niet. Dat zie ik aan u en weet u hoe dat komt? Dat komt omdat u geen mens bent maar een lopend wetboek. U begrijpt niets van liefde en genegenheid. U ziet eruit als een ijspegel en dat bent u ook. Hopelijk komt er nog eens iemand in uw leven die het ijs in uw hart kan smelten, anders is uw leven voor niets geweest...!"

Zonder nog een weerwoord af te wachten keerde Arnie zijn gasten woedend de rug toe en nam Mijntje mee naar de keuken.

Nog trillend van opwinding veegde hij Mijntjes gezicht af met een vaatdoek en probeerde haar te troosten. Maar er viel weinig te troosten voor Mijntje. Ze wist wat haar te wachten stond en leunde met gebogen hoofd tegen de aanrecht.

Haar verslagenheid riep bij Arnie een grote strijdlust op. „Zullen we vluchten, Mijntje!" riep hij met ogen die vonken schoten. „Geef snel antwoord, Mijntje, snel, want nu kan het nog. Jij op Ploos en ik op Frouke. Weg van dit alles, Mijntje. Weg, naar een nieuw leven ergens anders op deze planeet. Het zal je aan niets ontbreken, Mijntje. Aan niets, daar zorg ik voor. Toe Mijntje, zeg ja... Zeg ja...!"

Vol vuur bleef Arnie aandringen en greep Mijntje bij de schouders. „Toe Mijntje, kom... kom... Liefde is sterker dan de wet. Dat weet jij toch ook?"

Maar het was of Mijntje alle fut verloren had en toen Arnie zijn armen om haar heen sloeg, voelde hij hoe haar lichaam ineens verslapte en ze gleed tussen zijn handen door op de keukenvloer.

„Flauwgevallen," stelde de dominee even later vast. „'t Is haar te veel geworden."

„Dat is zo vreemd nog niet," vond Arnie bitter en wierp een vernietigende blik in de richting van de heer Rademakers die op afstand toekeek.

„Hieruit blijkt maar weer," zei hij, „dat het hoog tijd wordt dat ze in goede handen komt. Leg haar maar even op bed, jongeman, dan komt ze wel weer bij."

De zakelijke toon waarop hij sprak stak Arnie, maar z'n zorg om Mijntje won het van z'n ergernis.

Hij bracht Mijntje naar de bedstee in de zondagskamer en depte haar gezicht met koud water.

Toen Mijntje bijkwam en weer wat kleur op haar wangen kreeg, dekte hij haar toe en fluisterde: „Blijf hier maar liggen tot de dominee en die ijspegel vertrokken zijn. Ik vertel je wel wat ze verder hebben besloten." Mijntje knikte en sloot vermoeid haar ogen.

In de keuken kreeg Arnie te horen dat Mijntje rond het middaguur klaar moest staan voor vertrek. De dominee zou haar komen halen en naar Zuijlestede brengen.

Haar valies moest dan gepakt staan.

„En je broer," vervolgde de man van het wetboek, „die wil ik ook even spreken. Daar heb ik, om precies te zijn, nog een kwartier voor want over een halfuur moet ik een vergadering voorzitten. Wil je je broer even roepen?"

„M'n broer? Ik weet niet of-ie thuis is. Ik heb hem nog niet gezien."

„Niet gezien? Dat is dan wel vreemd als je in hetzelfde huis woont. Ga maar eens kijken of-ie nog slaapt."

„Die moeite hoef ik niet te doen, meneer. Mijn broer slaapt altijd in de zondagskamer en daar is-ie niet, dat heeft u zelf kunnen zien."

„En waar is hij dan wél?"

Arnie haalde z'n schouders op. „Misschien naar de veemarkt en dan is-ie al vroeg vertrokken."

„Hm, nou, hoe het ook zij, we hebben besloten dat je broer voor een halfjaar bij zijn voogd, de dominee, gaat wonen. Daarna wordt hij toevertrouwd aan een weeshuis tot hij meerderjarig is en heeft bewezen op eigen benen te kunnen staan. Dat half jaar inwonen bij de dominee is bedoeld om hem de gelegenheid te geven zijn taken hier op de hoeve te kunnen vervullen, zodat jij er niet alleen voor staat. Op 31 oktober is de pacht van de hoeve opgeheven en is zijn aanwezigheid hier overbodig. Zijn de akkers al ingezaaid?"

„Ja meneer. Er staat rogge, tarwe en de aardappels zijn inge-poot."

„Kijk aan, dan kan je broer je met het binnenhalen van de oogst nog helpen. Mocht het zo zijn dat jij vóór die tijd een andere werkkring hebt gevonden, dan kun je de producten op con-tract verkopen. Heb je weleens bemoeienis gehad met zoiets?" Arnie schudde z'n hoofd.

„O, nou, als het dan zover mocht komen dat je hier weg bent voor er geoogst kan worden, schrijf mij dat dan zodat ik een contract voor je kan opstellen. De kiloprijs van de geschatte oogst moet jij bepalen, daar heb ik geen verstand van. Maar denk eraan: die contractkopers zijn gewiekste jongens die gebruikmaken van een andermans noodpositie. Je mag mij dus benaderen voor de wettelijke kant van de zaak en mijn hulp is in jouw geval geheel gratis."

„Dank u voor het aanbod," zei Arnie enigszins verbaasd.

Wat een vreemde man, die ijspegel. Hij zou zich toch wel bele-digd moeten voelen na die uitval van zo-even. In plaats daar-van biedt-ie z'n hulp aan. Zou er toch een wak in het ijs zitten?

„En nu moet ik gaan," hoorde hij de ander zeggen. „Ik wens jullie veel sterkte met alles en het beste voor de toekomst."

Het rijtuigje met beide heren reed het erf af en Arnie leunde diep in gedachten tegen de schouw toen ineens de gordijntjes van de keukenbedstee werden opengeschoven en Widde tevoorschijn kwam.

„Widde! Was je hier?!"

„Ja, en ik ben een stuk wijzer geworden."

„Ja, dat zal wel. Je hebt natuurlijk alles gehoord, ook van de pachtbeëindiging per 31 oktober. Ik hoop dat je het niet ach-terbaks van me vindt dat ik het nog niet met je besproken heb, maar ik kon het niet over m'n lippen krijgen. Mijntje weet het ook nog niet."

„Ik wist het al," zei Widde onverschillig en rekte zich geeu-wend uit.

„Van wie wist je het dan?"

„O… dat doet er niet toe. Mij maakt het allemaal niks uit."

Hij zei het met een afwerend gebaar en liet duidelijk blijken

geen behoefte te hebben aan meer woorden. „Mijntje moet naar een tehuis vanwege haar slechte gezondheid," begon Arnie weer voorzichtig. „Rond het middaguur wordt ze gehaald door de dominee. Ik ben er helemaal kapot van."
Widde antwoordde niet en bekeek langdurig z'n linkerhand.
„Hoe vind je m'n ring?" vroeg hij ineens.
„Wel mooi," antwoordde Arnie met een vluchtige blik op Widdes hand.
„Jaaa, jongen..." zei Widde met een overwinnaarsblik in de richting van Arnie, „ik heb me gisteravond verloofd..."
„Verloofd?!"
„Ja, met Edeline en het was een prachtig feest en we vierden het in 't Sliefje. Tjonge... wat een feest. Ik was om vier uur thuis en kon niet verder komen dan dit bed. En ik ga nog een paar uur maffen, want ik voel me verre van fit..."
Widde kroop terug in de bedstee en trok de dekens over zich heen.
„Ga je dan niet mee?" vroeg Arnie. „Mee? Waar naartoe?" vroeg Widde.
„Mijntje wegbrengen, bedoel ik."
Widde schoot overeind. „Verwacht jij van mij dat ik meega? Jij bent toch ongelofelijk brutaal, hè? Jij stort m'n zuster in het ongeluk en dan verwacht je van mij medeleven. Nou moet ik mee om m'n zuster een handje te geven en na te wuiven. Haar gelukwensen met haar nieuwe thuis van tralies en regeltjes. Je moest je doodschamen om mij zoiets te vragen. Als je fatsoen had, bood je mij je excuses aan voor wat je mijn zuster hebt aangedaan. In plaats daarvan ga jij mij op m'n plichten wijzen? Weet je wat jij hebt gedaan? Jij hebt niet alleen de toekomst van m'n zuster verziekt, maar ook die van mij. Door jou ben ik hier altijd op de tweede plaats gezet. Jij trok alles naar je toe. Volgens mij ben jij een kind van een stelletje uitschot, want daar handel je naar en daarom knap je je eigen vieze zaakjes ook maar zelf op! Ik heb gezegd!"
Geschokt keek Arnie toe hoe de gordijntjes van de bedstede voor z'n neus werden dichtgeschoven.
't Liefst van al had hij Widde uit de bedstee gesleurd en om z'n eer gevochten, maar zoiets mocht hij Mijntje niet aandoen in

haar laatste uurtjes op de hoeve. Maar later, als-ie alleen met Widde was, zou Widde die gemene woorden toch moeten terugnemen. Zo niet, dan was Widde nog niet van hem af. Daar moest-ie maar op rekenen!

Om klokslag twaalf uur die middag stapten Arnie en Mijntje in het rijtuigje van de dominee en gingen op weg naar een voor Mijntje nog onbekende wereld. Het haar zo vertrouwde landschap rolde onder de wielen weg en weldra was de Leeuwerikhoeve uit het zicht verdwenen, maar dat ontging Mijntje.
Met gebogen hoofd zat ze naast de dominee en tegenover Arnie die geen oog van haar afhield.
Niets kon erger zijn voor Mijntje dan deze rit. En als-ie destijds niet aan zijn begeerte had toegegeven, was het zover niet gekomen. Daar had Widde gelijk in. Zou Mijntje hem dat ook kwalijk nemen? Ze sloeg geen enkele keer haar ogen naar hem op. Was dat een teken van verwijt, of wilde ze haar verdriet niet laten zien? Ze wist immers dat hij elke blik en beweging van haar kende…'
Toen de dominee even naar buiten keek, streelde hij snel haar hand waardoor ze even naar hem opkeek en hij haar grote droeve ogen zag.
Het snoerde z'n keel dicht en gaf hem een gevoel van machteloosheid en die machteloosheid was weer de reden voor een opstandig gevoel dat in hem opwelde…
Hij wilde het tij voor Mijntje keren. De koetsier de teugels uit z'n handen rukken en een andere weg inslaan. Een andere toekomst tegemoet. Een toekomst waarin Mijntje weer kon lachen. Een toekomst waarin ze samen boven de schommelwieg zouden staan om zich vol geluk te verwonderen over het nieuwe leven in de wieg.
De wieg… Had het nog zin om de wieg verder klaar te maken? Als Mijntje niet naar huis mocht, zou het kindje dat ook niet mogen en had het wiegje geen enkel doel. Zoals niets een doel had zonder Mijntje. Vluchten was de enige oplossing, maar zou dat verstandig zijn? Mijntje was immers ziek, naar de dokter zei, en hoe kon hij haar verzorgen als het werk op de akkers hem riep?

Nee, vluchten was geen oplossing, die inspanning was te veel voor haar. Zeker zoals ze er nu uitzag, bleek en vermoeid. Helaas... er was geen andere weg dan deze afschuwelijke rit die veel te lang duurde... Arnie zuchtte en hoorde de dominee zeggen: „We zijn al in Groningen. Nog een minuut of tien, dan komt het tehuis in zicht. De Goede Herder heet het. Een toepasselijke naam, vind ik, want de directie heeft meisjes onder haar houde maar ook schapen. De stichting is eigenaar van honderden schapen en hun wol wordt door de meisjes behandeld en gesponnen. Op die manier verdienen ze iets terug om de lasten te drukken, want het verblijf daar voor de meisjes uit hogere kringen wordt betaald door de familie zelf, maar voor die andere meisjes draait de stichting op..."

De dominee vertelde maar door. Meer voor zichzelf dan voor de andere twee passagiers die elk in hun eigen gedachtewereld verbleven.

Totdat het rijtuig stopte en de man op de bok een toegangshek opende.

Ze reden een lange laan in en stopten voor een gebouw dat op een grote villa leek.

Het zag er fraai en keurig onderhouden uit en stond midden in een groot park.

„Je ziet wel," zei de dominee niet zonder trots tegen Arnie, „dat je zuster niet in een gribus terechtkomt. Dit is een van de beste tehuizen van ons land. 't Is omdat ik in het bestuur van de stichting zit, anders was Mijntje hier nooit binnengekomen, begrijp je?" Arnie knikte en moest beamen dat de aanblik van het gebouw boven zijn verwachting was.

Ze werden ontvangen door een congiërge die een lichte buiging maakte in de richting van de dominee en hen naar de koffiekamer bracht waar ze koffie en koek geserveerd kregen.

De inrichting van de kamer zag er duur uit met grote schilderijen en glanzende kasten met ornamenten versierd. De vloer was bedekt met grote dikke tapijten en in de hoek van het vertrek stonden een harmonium en een muziekstandaard.

„Wat een luxe!" zei Mijntje met bewondering en Arnie en de dominee keken haar verbaasd. 't Waren immers Mijntjes eerste woorden sinds haar vertrek van de hoeve.

„Ja, wat een prachtige kamer, hè?" zei Arnie verheugd over het horen van haar stem en de belangstelling die ze ineens toonde. „Is het hele gebouw zo mooi ingericht?" vroeg Mijntje nieuwsgierig aan de dominee. „Niet zo overdadig als hier," zei hij, „maar het ziet er overal keurig uit. De slaapkamers voor de meisjes, de ziekenzaal, de keuken, alles wordt prima onderhouden door het personeel. Maar dit vertrek is de grote ontvangkamer voor gasten en familieleden van de meisjes. Hier worden ook muziekuitvoeringen gegeven, onder andere door het meisjeskoor van dit tehuis. Als je dat leuk vindt, Mijntje, kun je je daar voor opgeven. Er wordt hier veel gedaan aan je ontwikkeling. Wanneer een meisje niet kan schrijven of rekenen, wordt dat haar geleerd. Evenzo met handwerken en koken. En ik weet dat dat allemaal in goede harmonie gaat. Er wordt absoluut geen onderscheid gemaakt in afkomst. Ieder meisje hier moet sokken, truien of andere kledingstukken breien. Die worden dan jaarlijks toegevoegd aan de kerstpakketten met levensmiddelen en uitgedeeld aan de armsten van deze streek. Op die manier wordt de meisjes geleerd iets te presteren voor de minderbedeelden onder ons. Maar dat soort dingen hoor je nog wel van de leiding."

Op dat moment ging de kamerdeur open en een vrouw van middelbare leeftijd kwam naar hen toe.

Ze begroette de dominee hartelijk en gaf Arnie en Mijntje een hand met de woorden: „Ik ben mevrouw Van Wieringen, de directrice van De Goede Herder."

„Ik ben Arnie Ovink en dit is m'n zuster Mijntje," reageerde Arnie.

„O, dat vind ik nou eens leuk," zei mevrouw Van Wieringen lachend. „Ik maak zelden mee dat er een broer meekomt. Heel aardig van u," en tegen Mijntje: „Ik ga je nu inschrijven en heb daar je gegevens voor nodig. Daarna breng ik je bij de dokter voor een kennismakingsgesprek en nadien krijg je een rondleiding van Annabel, een kamergenoot van je." Mijntje knikte en leek wat meer op haar gemak door de vriendelijkheid van de directrice.

„Zou u, dominee," vervolgde mevrouw Van Wieringen,

„meneer Ovink even willen rondleiden? Dan weet hij ook hoe zijn zuster hier woont en hoeft hij niet doelloos te wachten. Ik neem aan dat het ook voor hem een moeilijke dag is."
„Met alle plezier," antwoordde de dominee.

Na de rondleiding namen de dominee en Arnie weer plaats in de koffiekamer en wachtten de terugkomst van Mijntje af.
„En, Arnie," vroeg de dominee, „wat denk je ervan?"
„Ik kan niet anders zeggen, dominee, dan dat het er prima uitziet. Maar dat neemt niet weg dat het voor Mijntje toch een straf is om niet meer op de hoeve te mogen zijn."
„'t Zal wennen zijn," gaf de dominee toe, „maar de meeste meisjes hebben het hier goed naar hun zin."
„Nou, ik moet ook eerlijk bekennen," zei Arnie, „dat het gebouw me reuze meevalt. Ik had een beeld voor me van tralies en afgesloten deuren. Maar dat is gelukkig niet zo."
„O nee," zei de dominee stellig, „daar is geen sprake van. Dit tehuis is een voorbeeld van hoe het zou moeten zijn. Wij, als bestuur, streven ernaar dat de meisjes dit als hun thuis gaan zien en dat streven vind je nog veel te weinig bij dit soort instellingen."
Er viel even een stilte tussen de twee. Een stilte waarin de dominee het inschrijfformulier, dat op tafel lag, zorgvuldig bekeek terwijl Arnie hem van terzijde opnam.
De dominee was toch wel een goed mens. Hij leek streng. Was ook streng, maar ook heel menselijk. Iemand die veel werk verzette voor z'n medemensen en zeker z'n best had gedaan voor Mijntje. Uiteindelijk had haar zwangerschap hem zeer teleurgesteld…
Mijntje kwam binnen met naast zich een hoogzwanger donkerblond meisje, gevolgd door de directrice. „Dit is Annabel," zei de directrice tegen Arnie en de dominee, „zij en nog een paar andere meisjes zullen Willemijntje op haar gemak stellen en haar wegwijs maken in het gebouw."
„Ja," bevestigde Annabel met een ondeugende blik, „en dat zal heus wel lukken."
Ze richtte zich tot Arnie en nam hem van top tot teen op. „Ik hoorde dat je haar broer bent," zei ze en wees naar Mijntje.

„Nou, mijn broer zou het nooit in z'n hoofd gehaald hebben om me te brengen en uit te wuiven. Die is daar veel te lui voor. Maar ik vind het niet erg, 'k had toch altijd ruzie met hem." Annabel had een deftig spraakje en grinnikte bij die laatste woorden.

„Over een paar weken zal uw dopeling er wel zijn, dominee," vervolgde ze en wreef over haar dikke buik.

„'t Wordt een Charles of een Charlotte, naar m'n vader die Charles heet. Een goedmakertje voor 'm. Eigenlijk zou ik het kind Isegrim moeten noemen, die naam zou beter bij m'n ouwe heer passen."

„Nou, Annabel," zei mevrouw Van Wieringen met een bestraffende blik, „zo is het wel genoeg. Een beetje meer respect voor je vader zou je niet misstaan." Annabel haalde haar schouders op. „Zo denk ik nu eenmaal over m'n vader. Hoe zei je ook weer dat je heet?" vroeg ze ineens aan Arnie.

„Arnie Ovink," herhaalde deze en wendde snel z'n blik van die uitdagende bruine ogen af.

„Arnie? Dat is dan zeker een samenstelling van meerdere voornamen."

„Dat is ook zo. Ik heet Arnoldus Nicolas."

„Was je dan een sinterklaascadeautje?"

„Je kunt weer aan het werk gaan, Annabel," zei de directrice streng. „Je moet nog negen naadjes breien en Willemijntje moet nu eerst een poosje rusten." Annabel ging maar bleef in de deuropening even staan. „Dag surprise!" riep ze Arnie toe.

„U ziet, dominee," wendde de directrice zich tot het bestuurslid, „dat wij het niet altijd even makkelijk hebben. Meisjes die thuis erg verwend zijn, willen zich hier niet altijd aan de regels houden. Annabel is zo'n meisje, maar ik moet erbij zeggen dat ze heel hulpvaardig en meelevend is en daarom lijkt ze mij geschikt voor uw pupil. Denk jij er ook zo over, Willemijn?"

„Ik vind haar heel aardig," was Mijntjes antwoord. „Fijn, dat hoor ik graag en dan wordt het nu tijd voor je om de dominee en je broer gedag te zeggen, want je moet rusten. En voor u, meneer Ovink: de bezoekuren zijn gesteld op de zondagmiddagen van twee tot vier uur. Meerdere bezoekuren zijn alleen in buitengewone omstandigheden toegestaan. Voor dit wat schaarse bezoek is gekozen om de familiebanden wat losser te maken, zodat de meisjes zich wat makkelijker kunnen aanpassen. De praktijk heeft bewezen dat het werkt. Welnu… ik wens u beiden een goede thuisreis."

Hieruit begreep Arnie dat hij moest vertrekken en hij bedankte de directrice voor de ontvangst.

De woorden kostten hem veel moeite nu het moment van afscheid nemen was aangebroken.

Mijntje zou niet meer op de hoeve zijn. Niet meer knus bij hem zitten met haar armen om hem heen. De keuken zou leeg zijn bij z'n thuiskomst. Mijntje was weg en kwam niet meer terug. 't Was een afscheid voorgoed, zo voelde hij het ineens en kon zelf niet verklaren waarom hij dat zo voelde…

Z'n stem viel weg toen hij haar beide handen pakte en z'n lippen op haar wang drukte. „Hou je goed. Mijntje… zondag kom ik weer… zondag zien we elkaar terug… Dag Mijntje… dag…"

Hij vergat de dominee toen hij de koffiekamer verliet en bij de deur nog eenmaal omkeek.

In een nevel zag hij haar staan en wuifde met een lome arm.

Bij het wegrijden zwaaide hij naar haar, een nietig figuurtje voor een groot raam in een vreemd huis. Hij wuifde opnieuw en deed dat nóg toen hoge bomen het gebouw al aan het zicht onttrokken hadden.

HOOFDSTUK 7

De terugreis deed hem nog meer zeer dan de heenreis. Gelukkig zei de dominee niet veel en kon hij heimelijk zijn gevecht leveren. Een gevecht tegen het verlangen naar dat kleine figuurtje achter het raam. Een verlangen dat nu al opspeelde en hij zou nog dagen moeten wachten om het voorwerp ervan terug te mogen zien.

„Het weer verandert," merkte de dominee op. „Het was zo prachtig en nu trekt de lucht helemaal dicht."

„Ja," beaamde Arnie uit beleefdheid.

't Werd weer stil in het rijtuig en een halfuur later kwam de kerktoren van Oud-Eijkelaer in zicht. „Zal ik je laten thuisbrengen?" stelde de dominee voor. „De lucht doet zo raar, als het maar geen onweer wordt. Daar is m'n vrouw zo bang voor. Zeker als ze alleen thuis is."

„Als u het niet erg vindt, dominee, wil ik het laatste stuk liever lopen. Ik heb behoefte aan wat frisse lucht."

„Ik begrijp het, kerel," zei de dominee, „maar ik wilde je het toch aanbieden."

„Bedankt, dominee, maar ik zou er hier graag uit willen."

„Hier!? Maar dan moet je nog minstens een uur lopen."

„Dat vind ik niet erg, dominee."

De dominee gaf de koetsier een teken waarop het rijtuigje stopte en Arnie de weg te voet vervolgde.

Nu hij alleen was kon hij z'n gedachten eens goed op een rijtje zetten. Want alles zou nu anders gaan op de hoeve. Een andere dagindeling want er moest nu ook gekookt en gewassen worden. De geit gemolken en gevoerd. Tweemaal per dag het eten voor het varken klaarmaken. 't Huis netjes houden. 't Beste zou zijn om een uur eerder op te staan. Niet om halfzes maar om halfvijf en dan zou het nog pootaan spelen zijn, want op Widde moest-ie maar niet rekenen, die zou zich wel weer verre van alles houden en dat was maar goed ook. Want voor er weer samengewerkt kon worden, moest er eerst gepraat worden. Zulke beledigingen hoefde-ie niet langer te pikken. Uitschot! Daar had Widde hem mee vergeleken en dat terwijl Widde net zomin wist van z'n afkomst als hijzelf. En juist daar-

om was het zo gemeen. Nee, Widde, je bent nog niet van me af.
Je zál die woorden terugnemen, al moet ik me doodvechten.
Nog geen hand had Mijntje gekregen bij het weggaan. Nog geen hand. Een hond zou nog een aai hebben gekregen. Maar Mijntje? Niets! En dat voor al die jaren dat ze haar moeder zo goed mogelijk verving.
Schandelijk was het! 't Leek wel of Widdes moraal met de dag zakte en dat zou-ie hem zeggen ook! Alles zou-ie zeggen...!

De opstand in Arnie was zo groot dat hij niet bemerkte dat de hemel inmiddels inktzwart was geworden en de eerste grote druppels op z'n jasje tikten.
Hij bleef pas staan toen de eerste felle bliksemflits door de hemel sneed en vrijwel direct gevolgd werd door een daverende donderslag.
Verschrikt keek hij om zich heen. Dit werd zwaar weer, dat stond vast.
De tweede flits volgde snel en terwijl de aarde onder zijn voeten trilde, rende hij naar een droge greppel en liet zich erin vallen. Hij maakte zich zo klein mogelijk zoals z'n vader het hem geleerd had als ze op de akkers door slecht weer werden overvallen.
't Ware beter geweest als ik naar de dominee had geluisterd, ging het door hem heen, want dit is noodweer. 't Lijkt wel nacht. Wat zullen de paarden bang zijn. Vooral Frouke, die was altijd zeer onrustig bij onweer...
Lang lag Arnie in de greppel, doorweekt van de slagregens. Maar ineens richtte hij zich op en vergat het gevaar want een sterke brandlucht trok z'n aandacht. Nog verder richtte hij zich op en tuurde het landschap af.
Brand... er moest ergens brand zijn, dat kon niet anders.
De brandlucht werd sterker en tussen twee donderslagen door kroop-ie uit de greppel en zag dikke zwartbruine rookwolken boven de bomen uitkomen.
Was het de hoeve van Brummer...? Nee, toch niet, die lag veel zuidelijker. Waar kon het dan zijn...? De Valkenhoeve? Nee, die lag meer naar rechts. Eigenlijk zou het... hemelsbreed

beschouwd… Nee, dat kon niet. Dat zou niet waar mogen zijn. Een felle bliksemflits deed hem in elkaar duiken en op dat moment hoorde hij, boven de donderslag uit, vaag het geluid van een bel. Door angstgevoel gedreven stond hij op en zag paard en kar van de brandweer passeren.

De zweep van de man op de bok knalde door de lucht en zette de paarden aan tot spoed. De donderslag rommelde nog na en de bel werd luider.

Als de kar de Zandweg zou inslaan dan… dan kon het niet anders… dan moest het wel de Leeuwerikhoeve zijn. Nog een tiental meters wachten… Dan wist-ie het… De kar… O lieve God… ja, de kar reed de Zandweg op. De Leeuwerikhoeve stond in brand… Rennen moest-ie… Rennen, alsof z'n leven er van afhing… Zeker dat van Widde… Widde lag nog in bed… En die arme dieren…

Rennen moest-ie…!

Hijgend passeerde hij de houtwallen, die hem het uitzicht hadden ontnomen en hij bereikte uiteindelijk de Zandweg, het punt van waaruit hij de hoeve kon zien.

En waar hij voor vreesde werd bewaarheid. De Leeuwerikhoeve brandde. Hoge vlammen sloegen uit het rieten dak en kropen, aangewakkerd door hevige rukwinden, als slangen over de nok van het dak en in de richting van de schuur.

Verbijsterd en niet meer in staat een voet te verzetten, sloeg hij z'n handen voor z'n gezicht. Dit kon niet waar zijn! De hoeve… en Widde… O God…Widde… hoe kon-ie nou toch zo blijven staan terwijl Widde… Lopen moest-ie, ook al leken z'n benen van pap…

Halverwege het pad struikelde hij over de brandslangen die de brandweerlieden naar de beek hadden uitgerold. Hij krabbelde haastig overeind en stormde het erf op, waar veel volk uit de buurtschap zich inmiddels verzameld had en ontzet toekeek naar de alles verwoestende vlammen.

Hij baande zich een weg door hen heen en schreeuwde voortdurend: „Widde! M'n broer Widde is nog binnen! Hij ligt in de keuken…!" En zonder zich een moment te bedenken rende hij naar de keukendeur waarvan de bovenbalk al brandde.

„Kom hier! Kom hier, idioot!" riep een boze brandweerman.

„Het is levensgevaarlijk wat je doet!"

Maar Arnie hoorde hem niet en beukte op de deur. „Widde!" schreeuwde hij. „Widde... kom eruit, alles brandt! Kom, Widde, ik heb spijt van wat ik dacht. Erg veel spijt. Kom eruit, nu kan het nog...!"

Twee uit de kluiten gewassen brandweerlieden snelden op hem af en sleurden hem weg. 't Was net op tijd, want de branende balk stortte naar beneden en nam een deel van de gevel mee.

Het ontstane gat had een aanzuigende werking en binnen enkele minuten stonden de keuken en aangrenzende schuur in lichterlaaie.

Een regen van vonken en brandende stukken hout daalde neer en de brandweercommandant gebood zijn mannen een veiliger plek te zoeken en het wagenhuis en de stal nat te houden.

Zelf begaf hij zich naar Arnie die door de twee lieden tussen het publiek was geduwd en vertwijfeld toekeek. „Bent u de eigenaar?" vroeg hij.

„Ik ben de pachter," mompelde Arnie, „en m'n broer is..."

„Voor zover wij dat konden vaststellen," viel de commandant hem in de rede, „was er niemand in het pand aanwezig. En mocht dat wél zo zijn geweest, ja, dan spijt het me geweldig, kerel, maar dan waren ook wij daar te laat voor. M'n mannen konden niet naar binnen. Ik jaag ze niet met open ogen de dood in."

„Maar de paarden..." begon Arnie weer. „Laat me dan alsjeblieft naar de paarden gaan. Ze zijn al zo bang door het onweer en dan nu die brandlucht. Laat me ze..."

„Er zijn geen paarden," meldde de commandant kortaf. „Mijn mannen hebben alle bijgebouwen doorzocht."

„Geen paarden?! Hoe komt u daar nou bij. Ze stonden nog op stal toen ik wegging. 'k Heb ze zelf nog gevoerd."

„M'n beste man, er waren géén paarden. Geloof me."

„Hoe kan dat nou?" vroeg Arnie zich hardop af en keek de ander verward aan.

„Dat moet je mij niet vragen, man. Achter in de schuur vonden m'n mannen een geit en die hebben ze naar het bleekveld gebracht. En het varken kan geen kwaad, z'n kot staat ver genoeg weg. Maar het woonhuis en de schuur, kerel, die moeten we helaas als verloren beschouwen. Ik vind het erg om te zeggen, maar daarvan valt door ons niets meer te redden. Kijk maar, het dak begint al in te dalen en nu moeten m'n mannen maken dat ze wegkomen, want dit zijn de riskante momenten."

De commandant blies op een fluitje en schreeuwde zijn mannen enkele commando's toe.

Ze zochten haastig een veiliger plek en niet lang daarna kraakte het dak van alle kanten en stortte uiteindelijk volledig in.

Omdat hij er niet langer naar kon kijken, had Arnie z'n hoofd afgewend en hoorde het dreunen van de verkoolde dakresten die op de grond neerkwamen.

Een grote steekvlam en een vonkenregen was het gevolg ervan en enkele brandende delen vielen op het rieten dak van de paardenstal die, ondanks het nathouden, toch vlam vatte.

Enkele ijverige brandweerlieden schoten nog te hulp met een extra slang, maar iedereen moest wijken vanwege de grote hitte en binnen tien minuten klonk er glasgerinkel en sloegen de vlammen uit de stalraampjes.

„We staan machteloos," bekende de commandant met een hulpeloos gebaar naar Arnie. „We hebben gedaan wat we konden. Het enige dat we misschien nog kunnen behouden is het wagenhuis, maar ook dat kan ik niet beloven, want de mannen kunnen er niet te dichtbij komen. Eén geluk hebben we, het wagenhuis heeft geen rieten dak, en de onweersbui is voorbij. Maar het kwaad is geschied met alle gevolgen van dien. Is de eigenaar verzekerd?"

Arnie schudde z'n hoofd. „Ik weet het niet. Ik ken de man alleen van naam."

„Is jullie inboedel wel verzekerd?" vroeg de commandant weer.

„Ik dacht van niet. 'k Heb m'n vader er nooit over gehoord."

„Dat is dan niet zo mooi voor jullie," vond de ander.

„'k Zie wel," zei Arnie met een wezenloze blik op de brandende resten van de Leeuwerikhoeve.

„M'n broer... en de paarden... dat is veel erger..."

De veldwachter arriveerde en meldde zich bij de commandant.

„Enig idee van de toedracht?" vroeg hij.

De omstanders drongen zich wat dichter om de twee heen, want nu zouden ze het echte verhaal horen en niet de verzinsels van dat joch van de Valkenhoeve.

Ze rekten hun halzen om het antwoord van de commandant te horen.

„Ik kan het bij lange na niet zeggen," zei deze. „Als ik het sein 'brand meester' heb gegeven, kunnen technici de zaak onderzoeken en de eventuele verzekeringsmaatschappij ook.

M'n eerste indruk was blikseminslag, maar nogmaals: ik zeg dit met het nodige voorbehoud. Wat ons wél bevreemdde was dat een gedeelte van het hooi al brandde terwijl het vuur dat deel nog niet genaderd was. Maar dat kan natuurlijk ook door hooibroei zijn gekomen. Omstreeks deze tijd van het jaar gebeurt dat nog wel eens."

Een kleine jongen drong zich naar voren en duwde z'n pet naar achteren om de veldwachter beter te kunnen aankijken.

„Ik was de eerste die het zag," zei hij. „Ik zag rookwolken boven de houtwallen uitkomen en omdat ik van m'n vader niet mocht gaan kijken omdat het onweerde, ben ik voor het zolderraam gaan staan en zag een man wegrijden met twee paarden."

„Jok jij niet een beetje?" vroeg de veldwachter.

Er ging een gemompel door de menigte en een man riep: „Hij heeft altijd van die fantasieverhalen, veldwachter! U moet hem niet geloven!"

„Ik jok echt niet!" riep de jongen verontwaardigd terug. „Ik heb het echt gezien! Hij zat op een zwart paard en het andere liep ernaast!"

De brandweercommandant viel hem bij. „Er waren inderdaad geen paarden toen wij hier aankwamen, veldwachter."

Arnie tikte de jongen op z'n schouder en nam hem apart. „Hoe zag die man op het paard eruit?" vroeg hij.

„Dat kon ik niet goed zien. Hij reed hard weg en was wel groot en had een zwart pak aan."

„Dan zou het Widde kunnen zijn," mompelde Arnie voor zich uit.

„Wat zegt u?" vroeg de jongen.

„Nee jongen, ik praatte even in mezelf. Dank je wel." De jongen wilde blijkbaar niets missen van het spektakel want hij zocht snel z'n plekje weer op terwijl Arnie zich verder afzonderde van het gebeuren en in de richting van de beek liep.

Het zou best kunnen dat Widde wakker was geworden van het onweer, de brand ontdekte en er als een haas vandoor was gegaan met de paarden. Z'n goeie goed hing nog over de stoel vanmorgen, dus dat kon-ie zo aantrekken en weg...

Als het zó was gegaan, dan was het begrijpelijk dat er niemand in huis was en de brandweer ook een lege stal vond. En dat zou betekenen dat Widde nog leefde en straks terugkwam.

Wat zou dat fijn zijn, Widde... Frouke... Ploos, dan was er, Gode zij dank, nog iets eigens overgebleven...

De veldwachter zocht Arnie op en stelde vele vragen. Want... wie was de eigenaar van de hoeve. Waar bevonden hij en Widde zich voor de brand begon. Waar was Mijntje, enzovoort.

Na enige uren gaf de commandant het sein 'brand meester' en werd het materiaal verzameld en opgeladen.

Aan Arnie werd medegedeeld dat er geen stoffelijke resten van medebewoners waren gevonden, waarna de brandweer vertrok en één man achterliet voor nazorg en bewaking.

Op wat omwonenden na was het erf na een tijdje leeg en was nu de omvang van de catastrofe goed te zien.

Het wagenhuis was het enige dat nog herinnerde aan een boerenerf en stond als een ruïne tussen de geblakerde skeletten.

Overal lagen verkoolde houtresten in het bluswater en hier en daar stak een tafel- of stoelpoot boven de resten uit.

Verschroeide gordijnslierten bewogen zachtjes uit zwarte gaten en gaven het geheel iets spookachtigs.

Leunend tegen het wagenhuis staarde Arnie met lege ogen naar de chaos om hem heen, totdat de achtergebleven brandweerman ook hem gelastte het terrein van de brand te verlaten tot na de inspectie.

Toen hij het toegangshek van de hoeve achter zich hoorde dichtvallen, was het hem of er een mes door z'n ziel sneed.

Doelloos en met het gevoel of alles slechts een boze droom was, slenterde hij het pad af in de richting van de beek, nage-

oogd door enkele bewoners van de buurtschap. Hun mededo-
gen was groot. Ze liepen hem achterna en versnelden hun pas
om hem in te halen.

Ze gingen in een kring om hem heen staan en betuigden hun
medeleven door het aanbieden van allerlei hulp.

„Je mag bij ons komen wonen," zei een oude vrouw en veegde
haar behuilde en met roetdeeltjes bedekte gezicht met haar
schort af.

„En ik zorg wel voor het varken en de geit zolang je dat zelf
niet kan," bood boer Brummer aan.

„Als je gereedschap nodig hebt, kom je maar bij mij!" riep een
ander. „Maar voor andere zaken ben je ook welkom." Het
warme medeleven bracht Arnie nog meer van z'n stuk:
„Bedankt... ik dank jullie... maar ik moet even lopen... Even
weg van dit hier..."

De omstanders knikten begrijpend en de oude vrouw vroeg
nieuwsgierig: „'k Heb je zuster niet gezien. Was ze niet thuis?"
Arnie keek haar aan maar z'n blik dwaalde weg. Mijntje... Wat
leek het lang geleden dat ze voor dat grote raam stond. Een
eeuwigheid leek het... Er was zoveel gebeurd nadien...
Afschuwelijk veel...

Z'n ogen keerden zich naar de oude vrouw en hij zei: „Mijntje
is opgenomen... er was iets niet goed met haar bloed..."

„Oh, wat erg voor haar, maar van de andere kant gezien is het
een geluk dat ze niet thuis was," vond het vrouwtje. „Ik was
twaalf toen onze molen afbrandde en ik zie het zo nu en dan
nog voor me. Ga maar een eindje lopen, jongen, dat deed mijn
vader toen ook."

Ze maakte een opening in de kring van mensen en keek hem
hoofdschuddend na toen hij het pad afliep.

Hoelang en waar hij zoal gelopen had kon Arnie zich later niet
goed herinneren toen hij tot het besef kwam dat hij bij
Plaggemientje voor de deur stond en hem werd opengedaan.

„Kom erin, jongen," zei ze en dribbelde voor hem uit het
kamertje in.

„Ga daar maar zitten." Ze wees naar een kistje bij de tafel die
gedekt was met twee borden en twee lepels. „Verwacht u een
gast?" vroeg hij.

„Nee, die verwacht ik niet want die is er al."

„Wist u dan dat ik kwam?"

Plaggemientje knikte. „Kalle zei het me. Kalle heeft me alles verteld, dus als je geen zin hebt hoef je niet te praten."

Arnie keek haar verbluft aan. „U weet alles al? Hoe kan dat nou?"

„Dat moet je me maar niet vragen, jongen. Dat zijn de raadselen van het leven waar wij met ons oppervlakkig verstand niet bij kunnen. Wil je een bordje bonensoep? Ik heb het speciaal voor jou gemaakt. Of heb je geen trek?"

„Nee, eigenlijk niet, maar ik eet wel een bordje met u mee want ik heb sinds vanmorgen vroeg niet meer gegeten en thuis is er ook niets meer... Ik zeg thuis, maar eigenlijk heb ik geen thuis meer. Alles is in as veranderd, Plaggemientje. Alles..."

„Je mag hier komen wonen. Ik zou het heel gezellig vinden."

„Het is een mooi aanbod van u, maar het is zo ver verwijderd van de akkers en daar moet ik toch dagelijks naar toe. Juist nu moet ik zorgen voor een goed product want we hebben niets meer. Het enige wat ik nog bezit heb ik aan en zo is het met m'n broer ook. M'n vader was er niet voor verzekerd, anders had hij me dat wel gezegd. Misschien kan ik in het wagenhuis een hoekje maken waar Widde en ik voorlopig kunnen wonen. Eigenlijk heb ik helemaal geen tijd om hier te zitten en te eten. Ik moet naar huis want als Widde terugkomt moet-ie daar niet alleen zijn. 't Is er heel akelig..."

„Eet eerst maar wat," vond Plaggemientje en nam zijn bord mee naar de kachel waar de soep te warmen stond. Ze ging met haar rug naar hem toe staan en strooide snel wat poeder op het bord aleer ze het vulde.

„Eerst maar eten," zei ze weer en ging tegenover hem zitten terwijl haar ogen op hem gericht bleven.

Arme knul, wat ziet-ie eruit. Lijkt wel tien jaar ouder met die scherpe lijnen rond z'n mond. Slapen moet-ie, want hij is helemaal doorgedraaid.

En slapen deed Arnie, want nadat hij z'n bord leeg had en wat versuft naar z'n hoofd greep, bracht het vrouwtje hem naar haar stromatras in de hoek van het vertrek.

113

„Ga hier maar liggen," zei ze en dat deed Arnie maar al te graag. Hij trok de deken over zich heen en mompelde: „'t Spijt me dat ik zo onbeleefd ben... maar... ik ben... ineens... doodmoe..."

„Ga maar lekker slapen," zei Plaggemientje, maar dat hoorde hij al niet meer.

De dag daarop werd hij om elf uur in de ochtend wakker en keek stomverbaasd naar Plaggemientje en vroeg: „Wat is er gebeurd? Waarom lig ik hier?"

„Ik zal een kop koffie voor je inschenken," antwoordde het vrouwtje, „dan komt alles wel weer bij je terug." En zo ging het ook.

Langzaam kwamen de gebeurtenissen van de vorige dag hem voor de geest waardoor hij plotseling opstond. „Ik moet naar huis. Widde kan er zijn."

„Je broer is er niet, dus blijf nog maar even om een bordje gortepap te eten."

Arnie deed het, maar daarna kon niets hem meer tegenhouden en hij zei bij het afscheid: „Volgens mij heeft u iets in m'n soep gedaan."

Plaggemientje lachte ondeugend. „'t Was voor je bestwil," zei ze, „en je ziet er al wat beter uit."

„Ik voel me ook wat beter," gaf Arnie toe, „maar wat er gisteren is gebeurd, neemt geen enkele slaap weg."

„Dat is helaas waar, jongen," beaamde Plaggemientje, „maar probeer je blik op morgen te richten. In morgen schuilt het leven, niet in gisteren. Als je blijft omkijken naar gisteren, sta je stil en sterf je langzaam af. En met sterven moet je nog even wachten, daar ben je te aardig en te knap voor."

Plaggemientje lachte ditmaal luid en breed waardoor haar schaarse tanden zichtbaar werden. Ze zag dat haar gast moeite had om mee te lachen en zei snel: „Dat laatste was maar gekheid, hoor. Ik bedoel alleen maar te zeggen: Bijt je vast in morgen, ook al valt de dag van vandaag je zwaar. Lees Job er maar eens op na, jongen. Job wist het. Hij vertrouwde op God en dat moet jij ook doen. Probeer, symbolisch gezien, met de as van je geliefde hoeve een nieuw bestaan op te bouwen, want as kan als humus dienen en humus is nodig om de bodem vruchtbaar te maken. Dat weet jij nog beter dan ik. Je bent nu teruggezet op de bodem. Maak er het beste van, jongen, mijn zegen heb je."

Het oudje nam Arnies gezicht tussen haar handen en kuste hem op beide wangen.

In een opwelling sloeg hij z'n armen om haar heen en hadden ze ieder hun eigen tranen.

Nog lang gonsden Plaggemientjes woorden na bij Arnie en hij wist dat ze een waarheid inhielden, maar hoe dichter hij de vertrouwde omgeving naderde hoe trager zijn pas werd want van hieruit was de hoeve altijd goed te zien geweest. Vooral het langgerekte en kunstig gevlochten dak deed z'n hart dikwijls sneller kloppen. De vele ramen aan de voorkant ook. De tweedelige keukendeur waarvan het bovenste gedeelte zomers altijd openstond en de uit hout gesneden duif in het bovenraam van de voordeur die diende om de bewoners te behoeden tegen ziekte en onheil, dat alles was er niet meer.

Omzichtig alsof hij een kerkhof betrad, deed Arnie het hek open en zag een paar mannen rondlopen. Ze bekeken zorgvuldig de resten van de boerderij en maakten aantekeningen.

Een brandweerman kwam naar hem toe en vroeg wie hij was. Na wat heen en weer gepraat mocht Arnie het terrein op en begaf zich naar het wagenhuis. Verwachtingsvol opende hij de deur. Zou Widde er zijn?

Maar ondanks het halfduister zag hij het direct. Er was niemand binnen.

Teleurgesteld zakte hij neer op een stapel paardendekens en keek om zich heen.

Hier moest-ie voorlopig wonen. Zeker tot 31 oktober en daarna... ja, daarna zou-ie zich moeten verhuren als knecht en een knechtenkamertje krijgen. Ver weg op zolder of achterin bij de stallen, want herenboeren dulden de lucht van een knecht niet van nabij. Dat was beneden hun stand.

In de komende maanden had-ie daar gelukkig nog geen last van, dan was-ie nog eigen baas. Maar van wat eigenlijk. Alleen op de oogst kon-ie nog aanspraak maken. Maar hoe moest-ie die binnenhalen als Widde niet meer terugkwam en Mijntjes hulp nu ook wegviel?

Geld voor een dagloner was er niet. Er was zelfs geen geld om iets eetbaars te kopen en de aardappelvoorraad zou ook wel in de brand zijn gebleven. De tarwe voor eigen gebruik ook. Trouwens, hoe moest hij het eten bereiden? Een kachel was er niet. Een pan of bord ook niet. Geen schoon goed.

Berooid was ie... totaal berooid. Wat een geluk dat-ie z'n goeie goed gisteren had aangetrokken, dan zag-ie er tenminste nog netjes uit als-ie naar Mijntje ging. Want Mijntje mocht niets weten van de brand. Ze zou onwel worden, zelfs een miskraam kunnen krijgen. Nooit mocht Mijntje het weten en die vlekken van as en roet op z'n kleren moest-ie maar gauw verwijderen met wat water en een stoffer, als die er nog was.

Z'n schoenen moest-ie ook poetsen, ze waren helemaal uitgebeten van het bluswater...

Arnie trok z'n jasje uit om het beter te kunnen bekijken, maar de twee kleine raampjes gaven weinig licht dus ging hij er mee naar buiten.

In het volle licht zag het jasje er smerig uit en de zakken stonden bol. Toen hij z'n hand erin liet glijden vond hij twee zakjes. In het een zat roggebrood en in het ander een stukje spek.

„Plaggemientje", mompelde hij ontroerd en keek naar z'n buit alsof hij goud gevonden had.

Hij bracht z'n eten naar het wagenhuis en bekeek de ruimte daarbinnen aandachtig.

Om het vertrek enigszins geschikt te maken voor behuizing, sleepte hij een van de boerenwagens naar buiten en besloot de ander te gebruiken als slaapplaats.

Een paar lege kisten brachten uitkomst als tafel en stoel en de spijkers in de wand dienden als kapstok. Hij bezemde de vloer en was daar druk mee bezig toen er gestommel klonk en enige buurtbewoners binnenkwamen. Ze hadden van alles bij zich. Een potkacheltje, pannen, borden, kleding, laarzen en nog veel meer.

Hij wist niet waar hij het eerst naar kijken moest. Zoveel medeleven was toch buitengewoon.

Hij wilde handen schudden, bedanken, maar de meesten

waren met een tikje aan hun pet alweer vertrokken en hij liet zich zakken op een echte stoel. Een luxe waar-ie niet op gerekend had en ondanks z'n sombere stemming kwam er een warme gloed in z'n ogen toen z'n blik over het zojuist verworven huisraad gleed.

Wat een buurtschap was dit. Wat een medeleven en dan die vanzelfsprekendheid waarmee ze het gaven en weer vertrokken. Wat zou het vader goed doen als-ie dit wist. Vader, die zelf ook alles kon missen en zijn kinderen had voorgehouden het brood te delen waar dat nodig was.

Uit eerbied voor vader zou-ie die weg wel willen volgen. Mensen helpen die minder geluk hadden dan hij.

Verleden week had-ie, samen met Mijntje, de kleerkasten nagekeken omdat de dominee na de preek een oproep had gedaan het aardse goed te delen met de armsten.

Een kist vol kleding en schoeisel was het resultaat ervan geweest, maar ook die was in de brand gebleven. In as veranderd. As... dat moest de humus zijn voor morgen, zo ongeveer had Plaggemientje het bedoeld. Maar wat had morgen te betekenen zonder Mijntje en zonder de hoeve...

Een klop op de deur haalde Arnie uit zijn mijmeringen en terwijl hij opstond ging de deur al open en stapte een forse man het wagenhuis binnen.

„Ik ben Buwalda van Larikxhoven," zei hij toen hij Arnie ontwaarde en zijn hand uitstak, „en ik kom de toestand eens in ogenschouw nemen, nadat de rentmeester mij vanmiddag het trieste nieuws meedeelde. 't Is een beroerde zaak, jongeman. Ook voor jullie. Was de inboedel verzekerd?"

Arnie nam zijn bezoeker nieuwsgierig op. Zooo... dat was hem dus... de 'graanbaron', en eigenaar van de Leeuwerikhoeve...

„Voor zover ik het weet zijn we niet verzekerd," antwoordde hij.

„Hm, dat is dan wel dom van je vader," vond Buwalda met een grijnslachje.

„Liever dom dan sluw," was Arnies weerwoord en hij zag hoe de grijze borstelige wenkbrauwen van de ander naar beneden doken en de ogen lieten verdwijnen. Maar dat was ook het enige wat Buwalda liet blijken want hij zei: „Dan zul je het niet breed hebben de komende maanden en daarom wil ik je tegemoet komen. Uiteindelijk zijn we in de wereld om elkaar te helpen, vind je ook niet?"

Arnie antwoordde niet en bleef de man tegenover hem strak aankijken.

„Ik ga een bod doen op je oogst," zei deze. „Dan heb je contanten voor je levensonderhoud en ben je vrij van zorgen. Nou, is dat een mooi voorstel of niet?"

„Hangt er van af van welke kant je zoiets bekijkt," meende Arnie. „U ruikt waarschijnlijk geld, maar ik graan en aardappelen. Na een jaar van hard werken is het binnenhalen van de oogst voor mij een hoogtepunt. Dat is de vrucht van mijn inzet en liefde voor het vak. Allemaal feiten waar u niet bij stilstaat en waardoor u ook nooit zult weten wat een product echt waard is. U heeft er nooit een schoffel of spa voor vast hoeven houden. Voor u is het een kwestie van geld. Voor mij natuurlijk ook, want ik moet ervan leven. Maar als ik ooit genoodzaakt zou zijn het graan op de halm te verkopen, zou ik het doen aan iemand die ik het gun ook al zou ik er dan minder voor vangen." Het gezicht van Buwalda was gaandeweg rood geworden en z'n vingers draaiden venijnig aan de punten van z'n snor. Met een ogenschijnlijk nonchalant gebaar raadpleegde hij zijn gouden zakhorloge en zei zonder op te kijken: „Je bent een eigenwijze jongeling, maar daar kom je nog wel achter. De almanak voorspelt een slechte zomer, maar dat zijn dan jouw zorgen."

Met driftige passen en zonder groet verliet Buwalda het wagenhuis, nagekeken door Arnie die zich met een blik van voldoening in z'n stoel liet zakken.

Ziezo, dat was gezegd en gaf een fijn gevoel. Die man denkt alleen maar aan geld en aan het verkrijgen van slaven die dat geld voor hem bij elkaar ploeteren. Bah, wat een akelige kerel...

Geholpen door zijn koetsier stapte Buwalda in zijn landauer en ging mopperend zitten. „'t Is vandaag weer raak met de jicht, Jakob. Ik denk dat er regen in de lucht zit."

„Zou best kunnen, meneer," antwoordde Jakob en sloot met

een lichte buiging de deur van het rijtuig. Geërgerd door de jicht maar niet minder door het gesprek met Arnie, stak Buwalda een sigaar op en keek de kringetjes rook na. Wat een dwarsligger, die Ovink. En dan die arrogante blik waarmee-ie naar je keek. Je zou je bijkans een landloper voelen. Geen enkel respect voor klasse of stand had dat ventje. Zo'n kereltje moest eens een lesje hebben. Afijn, dat had-ie ook wel gehad met die brand. Tot 31 oktober mocht-ie in een tochtig hok leven en dat was maar goed ook, kon-ie tot bezinning komen. Als nu ook z'n oogst nog mocht mislukken, nou, dan zou-ie wel een toontje lager zingen. 't Was geen wonder dat. die broer er niet mee kon samenwerken. Die was lang zo stug niet als dit mannetje. Veel meer een ruwe bonk met weinig hersens, maar wel iemand waar mee te praten viel. En gevoel voor zakendoen had dat joch ook. Voor tweehonderd gulden en wat valse reispaperassen wilde-ie wel een brandje stichten. Zo hielp-ie de één van een hoop kosten af en kon zelf de overtocht naar zijn Utopia betalen. Alleen jammer dat-ie dat vrouwtje meenam. Dat was een lekker wijfje en die wist wat een man wilde. Maar ja, een mens kan niet alles hebben, want als je alles even op een rijtje zet, George, mag je helemaal niet mopperen. De oorzaak van de brand was blikseminslag had die inspecteur zo-even gezegd, dus... vang je een flinke cent van de verzekeringsmaatschappij. Je spaart de kosten van onderhoud aan dat krot uit en dat alles voor tweehonderd gulden. Ja, dat onweer was een prima bijkomstigheid. Eigenlijk een geschenk uit de hemel en daarmee heeft God laten blijken dat Hij je welgezind is en achter je levensstijl staat, George. En dat geeft een prettig gevoel en dat gevoel zou nog prettiger zijn als die rotmeid van je niet zo dwarslag. Maar ja, zo zijn kinderen nou eenmaal. Je hebt het beste met ze voor, maar dat zien ze niet. Ze denken altijd dat je ze wilt dwarsbomen. Ze zien de realiteit niet en nemen niets van je aan. Worden boos van ieder weerwoord en nemen de benen als ze meerderjarig zijn. Stomme meid! Nou, meid. Hoe oud zou Louise inmiddels zijn? Zeker een jaar of vijfenveertig. Vijfenveertig en dan nóg je verstand niet gebruiken. Maar ja, zo verwonderlijk was dat nou ook weer niet. Haar moeder was net zo. Pleitte nog voor een huwelijk tussen haar dochter en die kunstenmaker, want meer was-ie niet. Een knaap die de hele dag op een stukje hout zat te snijden of met een beiteltje op een stuk steen sloeg. En Louise met haar moeder maar ademloos kijken naar dat gepruts. Sufferds waren het, alledrie! Maar de centen moesten van pa komen, want daar hadden die drie geen kaas van gegeten. Gelukkig had pa wél door dat z'n kind het ongeluk tegemoet ging en had toen, met wat hulp van goede relaties, dat knaapje het land uitgewerkt. En dan denk je als vader: ziezo, dat hebben we ook weer gehad. Maar niks hoor! Kom je er maanden later achter dat ze zwanger is van die prutser. En vader maar weer regelen en handelen om z'n enig kind voor de schande te behoeden. Handen vol geld had dat grapje gekost en wat was z'n loon? Nul komma nul. Madam had met een kwaaie kop de deur achter zich dichtgetrokken en toen hij haar, na de dood van haar moeder, vroeg terug te komen had ze hem alleen maar hooghartig aangekeken en was zonder een woord vertrokken. Op al z'n brieven had-ie maar één keer antwoord gehad. En wat voor antwoord.

„Ik wil u nooit meer zien", had ze geschreven. „U heeft m'n jeugd vergald maar daar heb ik mezelf bovenuit weten te tillen. Ik ben nu hoofd van een weeshuis en heel gelukkig met de vele kinderen om mij heen. Laat mij met rust want het wordt toch nooit meer wat tussen ons". 'Louise', had ze eronder geschreven. Geen 'liefhebbende dochter' of zoiets. Nee… alleen Louise. Alsof-ie een vage kennis was. Schandalig was het. Maar wat kun je verwachten van iemand met weinig verstand? Want verstand had ze niet. Wie wordt er nou hoofd van een weeshuis. Een hoop werk en allemaal ellende om je heen. Nee kind, je had naar je vader moeten luisteren en naar de vele aanzoeken die je kreeg. Allemaal mannen van naam met geld en dan had je inmiddels tot de welgestelden behoord en mij een opvolger kunnen bezorgen. Maar ik weet inmiddels wel waarom je iedereen weigerde. Je wilde me dwarsbomen omdat je die halvegare niet mocht trouwen. Maar ondanks alles, Louise, hou ik van je en blijf ik hopen dat je nog eens terugkeert naar je ouderlijk huis. 't Is er al jaren zo stil en kil,

maar dat zal ik je nooit schrijven. Ik heb ook m'n trots en...
De deur van de landauer werd geopend en Jakob zei nederig:
„U bent thuis, meneer."

„Rij me maar door naar m'n dokter," snauwde deze, „hij moet
me maar eens iets goeds geven tegen de jicht. Ik betaal hem
genoeg."

Nadat Buwalda was vertrokken, begon Arnie de gekregen
huisraad een plaats te geven. Bij boer Brummer haalde hij
een baal stro voor de slaapplaats en zocht naar een geschik-
te plek waar Widde kon liggen zodra die weer thuis was. Want
Widde zou terugkomen en de paarden ook en die moesten
voorlopig maar in de wei. Gelukkig brak er een goed jaargetij
voor ze aan en ze waren graag buiten. Dat was dus al een zorg
minder.

Nu eerst maar een kachelpijp zien te krijgen, dan kon-ie koffie maken en koken. Maar hoe kwam-ie aan een kachelpijp
zonder geld. Zonder geld? Hij had toch nog dat spaarbusje
met die honderdvijfentwintig gulden erin? O lieve hemel, nee.
Het spaarbusje stond immers op zolder en was ook in de
brand gebleven. Dat-ie daar nu pas aan dacht. Al z'n spaar-
geld weg. Of... of zou het nog terug te vinden zijn...

Opgewonden liep Arnie even later langs de asresten van de
hoeve en z'n ogen priemden zich als het ware door de puin-
hopen heen. Maar er was geen zoeken aan, stelde hij teleurgesteld vast. 't Was onmogelijk om in die bende nog iets te vinden. Hij moest z'n kapitaal maar als verloren beschouwen.

Met een verlaten gevoel slenterde hij terug naar het wagenhuis en verlangde ineens hevig naar Mijntje.

Als Mijntje er nu was zou alles anders zijn. Dan waren ze
samen en konden ze hun gevoelens aan elkaar kwijt, of zomaar stil bij elkaar zitten.

Maar dat was verleden tijd. Mijntje was ver weg en als ze
elkaar eenmaal per week zagen, dan moest hij daar heel blij
mee zijn.

Over drie dagen zou hij haar weer zien en dan moest-ie zorgen
dat-ie er keurig uitzag. Misschien kon-ie ergens scheergerei
lenen en wat schoensmeer. Een handdoek en zeep. Schoon

ondergoed en een teiltje om de was op de kachel te koken, want zo deed Mijntje dat altijd. En dan af en toe met een stok het wasgoed draaien.
Maar nu eerst naar de kachelsmid en hopen dat de man hem krediet wilde geven...

HOOFDSTUK 8

De smidse was gelegen in het gehucht Oud-Eijkelaer, enkele kilometers verderop. En juist toen Arnie de Dorpsstraat bereikt had bleef-ie plotseling staan: 't Sliefje, schoot het plotseling door hem heen.

Als Widde was gevlucht zou hij zeker naar 't Sliefje zijn gegaan. Daar had hij onderdak, ook voor de paarden want er stond een grote loods achter de herberg.

De kachelpijp moest maar even wachten, eerst kijken of Widde daar was. 't Zou fijn zijn om even een vertrouwd gezicht te zien. En de paarden... wat verlangde hij naar ze, al zou hij dat niet gauw aan iemand vertellen. Zoiets zou kinderachtig gevonden worden...

Na drie kwartier lopen bereikte hij de herberg die, zoals gewoonlijk, druk bezet was. Z'n hart bonsde in z'n keel en z'n ogen vlogen over de vele hoofden toen hij in de deuropening stond.

Nooit eerder had hij zo naar Widde uitgekeken, maar hij kon hem niet in de menigte ontdekken.

De waard zou wel weten of Widde er is, bedacht hij en stapte naar de tapkast.

Hij drong zich wat naar voren en moest een scheldpartij aanhoren van een paar beschonken mannen die niet wilden wijken.

Om ruzie te vermijden bleef-ie staan waar hij stond en riep naar de waard: „Is m'n broer Widde hier?!"

De waard die zich juist van een glas jenever bediende, nam hem argwanend op, dronk z'n glas in één teug leeg en antwoordde: „Ik geef geen informatie aan vreemden."

„Ik ben de broer van Widde!" schreeuwde Arnie boven het lawaai uit. „Widde Ovink, die kent u toch wel?" Het opgeblazen gezicht van de waard werd nog boller door de grijns waarmee hij antwoordde: „Bestel eerst maar eens wat! Voor een goede klant weet ik altijd meer!"...

„Ik heb geen geld!" riep Arnie terug, „alles wat ik bezat is verbrand!"

„Dan sodemieter je maar op!" mengden de beschonken mannen zich in het gesprek. „Aan klaplopers hebben we niks. Donder op, jij…!"

Ze gaven Arnie een harde duw waardoor hij zijn evenwicht verloor en achterover tuimelde.

Hij raakte daarmee Hanna die hem juist passeerde. Hanna kon zich nog net staande houden maar het blad met volle glazen glipte uit haar handen en kwam op Arnie terecht die languit op de grond was beland.

Een lachsalvo vulde het vertrek en Arnie haastte zich gegeneerd overeind en veegde met z'n mouw z'n gezicht droog.

„Ik haal wel een handdoek," fluisterde Hanna hem toe, „je bent kletsnat."

Ze was snel terug en zei verontschuldigend: „'t Spijt me, ik kon er echt niets aan doen."

„Dat weet ik, Hanna, en er zijn ergere dingen. Weet jij of Widde hier is?"

Hun gesprek duurde blijkbaar te lang naar de zin van de waard want hij worstelde z'n dikke lijf door het deurtje van de tapkast en schommelde op Hanna af.

„Verrekte meid dat je d'r bent, laat die lummel barsten. Zorg liever dat die rotzooi van de grond komt. En gauw ook of ik zal je even laten voelen wat ik bedoel."

Hanna spoedde zich naar het bezemhok in het achterhuis, maar voor ze de deur sloot maakte ze Arnie met een snelle wenk kenbaar dat hij achterom moest komen.

Even later stonden ze tegenover elkaar op het binnenplaatsje en kon Arnie het niet nalaten te vragen: „Is je vader altijd zo grof tegen je?"

Hij had echter onmiddellijk spijt van zijn vraag want Hanna's kin begon te trillen en haar ogen vulden zich met tranen.

Haar 'ja' was nauwelijks hoorbaar en ze stond er zó hulpeloos bij, dat Arnie haar beide handen greep en vol vuur zei: „Hanna, waarom trouw je niet met Geurt. Je zal het goed bij hem hebben, dat weet ik zeker. Trouw met hem, Hanna, dan ben je van veel verdriet af. Of geeft je vader geen toestemming voor een huwelijk?"

Hanna slikte enige malen voor ze antwoordde: „Sinds m'n

vader die vrouw in huis heeft gehaald laat-ie me duidelijk merken dat-ie me liever kwijt dan rijk is. En die vrouw ook."

„Maar Hanna, dan is de weg toch vrij voor een huwelijk met Geurt?"

Hanna antwoordde niet en haar ogen gleden langdurig over Arnies gezicht.

Arnie wist niet goed wat hij van die raadselachtige blik moest denken. Hanna's ogen vertelden iets. Maar wat? Dorst ze niet te zeggen dat ze niet van Geurt hield of was ze nog overstuur door haar vaders gedrag?

„Hanna," besloot hij te zeggen, „ik zal je niet langer ophouden. Je vader wacht op je. Maar vertel me nog wel even of Widde bij jullie is."

Het leek of Hanna vanuit een andere wereld terugkwam. „Widde?" herhaalde ze afwezig.

„Ja, Widde. Is die bij jullie?"

Ineens reageerde Hanna weer helder en ze keek Arnie stomverbaasd aan: „Widde hier? Hoe kom je daar nou bij. Widde is toch op weg naar Amerika?"

Arnies mond zakte open en hij keek Hanna ongelovig aan. „Amerika? Widde? Nee, dat kan niet waar zijn, Hanna. Dat heeft-ie je maar wijsgemaakt. Als Widde dat van plan was geweest zou hij me dat zeker gezegd hebben. Hij en ik zijn weliswaar geen dikke vrienden, maar definitief weggaan zonder afscheid... nee, dat zou Widde niet doen. Daar geloof ik niet in. Widde is gevlucht voor de brand, Hanna. De hoeve is helemaal afgebrand en..."

„Dat weet ik allemaal al," viel Hanna hem in de rede, „en ik vind het afschuwelijk voor je."

De woorden kwamen Hanna recht uit het hart, dat was te zien want haar gezicht was nog bleker geworden en haar ogen werden opnieuw vochtig toen ze zei: „Je ziet de wereld te mooi en de mensen ook. Ze zijn niet allemaal aardig en je broer is dat ook niet. Hij kwam ons gisteren gedag zeggen omdat hij het land uitging. Hij zag het niet zitten om bij de dominee te moeten wonen en nog minder in een weeshuis.

Hij zei dat-ie een hut had geboekt voor hem en Edeline en dat de boot vanmorgen om vijf uur zou uitvaren."

„Dus… dus Widde is echt weg?" vroeg Arnie nog steeds niet overtuigd.

Hanna knikte en Arnie schudde z'n hoofd. „Ik kan het niet geloven, Hanna. Echt niet."

„En toch is het zo," zei Hanna stellig. „We mochten het aan niemand vertellen, want hij was bang dat de voogdijraad hem dan op de hielen zou zitten. M'n vader heeft gedreigd m'n botten te breken als ik er met iemand over zou praten. Maar ik vind dat jij het recht hebt de waarheid te weten."

„Dank je voor het vertrouwen, Hanna, ik zal zwijgen om je niet in moeilijkheden te brengen. Ga maar gauw naar binnen anders krijgt je vader argwaan."

Nadat Hanna was vertrokken sloop Arnie via een brandgang naar de achterkant van de loods en opende de deur.

Geen paarden, want dan had-ie dat direct geroken. Maar waar had Widde de paarden dan gelaten? Verkocht om z'n overtocht te betalen? Dat zou toch verschrikkelijk zijn. Frouke en Ploos voorgoed verdwenen. Ze nooit meer kunnen zien of even aanraken voor het slapengaan.

En bij wie waren ze terechtgekomen? Met Ploos zou het wel lukken bij vreemden. Ploos was kneedbaar, maar Frouke niet. Zeker niet bij iemand die geen paardenhand had. Zo iemand loste dat op met slaan en dan werd Frouke de verliezende partij.

Arm dier en wat gemeen van Widde om op die manier te verdwijnen. Nee Widde, hier heb ik echt geen woorden voor. Ik wist dat je niet dol op me was, maar dat je me zoiets zou aandoen had ik nooit van je verwacht. Ik weet nu dat je me haat, Widde. Ja, je haat me en je haat Frouke ook. Maar zelfs haar gunde je me niet. Je gunde me niets, Widde, en je hebt je zin gekregen. Ik heb helemaal niets meer… Ook jou niet want ik wil je niet meer als m'n broer beschouwen. Je kroegvrienden heb je nog gedag gezegd, maar Mijntje en mij niet. Maar ik mag wel de kastanjes voor je uit het vuur halen, want Mijntje zal naar je vragen en de dominee ook. En de toeziend voogd. Ze zullen allemaal willen weten waar je bent en ik maar liegen voor jou. En ik zal ook liegen, Widde, want ik heb geen keus.

Ik heb Hanna mijn woord gegeven en dat breek ik niet. Ik zal liegen voor Hanna, maar niet voor jou. Nooit meer voor jou, Widde...

De verbolgenheid over z'n broer was groot bij Arnie. De hele terugweg schopte hij tegen kiezels, takken en alles wat hij op z'n pad tegenkwam.

Toen hij thuiskwam smeet hij de deur van het wagenhuis open en trapte een zinken emmer door het vertrek.

Zijn oog viel op de halve baal stro die hij apart had gezet voor Widdes slaapplaats. De baal verdween in één gooi naar buiten en belandde voor de voeten van de dominee.

„Zo Arnie," zei deze, „je bent nogal druk, zie ik. Verstandig van je om meteen aan de slag te gaan. Dat is beter dan bij de pakken neer te zitten."

Niet berekend op hoog bezoek, streek Arnie snel z'n haar glad en veegde wat strootjes van z'n kleding.

Hij hoopte heimelijk dat de dominee de lelijke woorden die de baal stro vergezeld hadden, niet gehoord had.

„'t Is heel erg wat je is overkomen, jongen," vervolgde de dominee en nam plaats in de enige stoel. „Ik hoorde het vanmorgen van een ouderling en later las ik het in de krant. Ze vermoeden bliksleminslag, hè?"

Arnie knikte instemmend en probeerde z'n gemoedstoestand onder controle te krijgen. De dominee kwam niet erg gelegen maar mocht dat niet merken.

„Ben je van plan hier te gaan wonen?" vroeg de dominee met een blik om zich heen.

„Ja dominee."

„Je mag voorlopig ook bij mij inwonen, hoor. Dan heb je de kost en bewassing voor niets, want wat voor je broer geldt, geldt ook voor jou."

„Ik dank u voor uw goedheid, dominee, maar ik blijf liever hier. Als ik bij u woon moet ik elke dag uren lopen naar de akkers en die tijd kan ik niet missen."

„Ik begrijp je probleem, Arnie, maar mocht het je achteraf toch niet bevallen, dan weet je in ieder geval dat je welkom bent. Bovendien wil ik je laten weten dat de kerkenraad vanmorgen heeft besloten jou een som geld te schenken uit het noodfonds. Op die manier wil de kerkelijke gemeente haar medeleven aan je betuigen."

De dominee haalde een geldbuideltje tevoorschijn en telde er tien gouden munten uit.

„Wat een prachtig gebaar!" riep Arnie bij wie de woede van zoeven ineens plaatsmaakte voor verrassing en ontroering. Hij kon z'n ogen niet afhouden van de munten op het kistje voor hem en schudde z'n hoofd.

„Niet te geloven, dominee. Op zoiets had ik totaal niet gerekend. Wat een uitkomst. Nu kan ik gereedschap kopen en ondergoed en scheerzeep en…"

„'t Is goed, jongen," glimlachte de dominee, „ik weet dat je het niet over de balk zal gooien en ik ben blij dat wij een lichtpuntje voor je mogen zijn in deze beroerde dagen. Dank God voor de hulp die Hij je bracht en vraag Hem kracht voor de toekomst. Ik moet nu gaan want er wacht een zieke op me. Zodra ik in de gelegenheid ben zoek ik je weer op en anders zie ik je zondag in de kerk. Ik wens je veel sterkte en Gods Zegen toe."

„Dank u, dominee, en natuurlijk ook bedankt voor de geweldige gift, want ik bedenk ineens dat ik u nog helemaal niet bedankt heb. Zodra ik schrijfgerei heb, stuur ik de kerkenraad een briefje."

„Dat is goed, Arnie. Tot ziens."

De dominee had z'n voet al op de trede van het koetsje toen hij zich plots leek te bedenken en terugkwam.

„Ik vergat bijna te zeggen," begon hij, „dat ik je broer morgenochtend om tien uur in de pastorie verwacht. Ik zal hem dan z'n kamertje laten zien en mijn vrouw zal hem vertellen hoe onze dagindeling eruitziet. Wil je hem dat zeggen?"

Voor Arnie, die al blij was dat de dominee niet naar Widde vroeg, kwam de vraag onverwachts en hij plukte een paar achtergebleven strootjes van z'n broek eer hij zei: „Widde is er niet, dominee. Widde is na het uitbreken van de brand gevlucht met de paarden, maar nog niet teruggekomen."

Er trok een schaduw over het gezicht van de dominee en hij klonk streng toen hij vroeg: „Waar hangt-ie dan uit? Hij zal toch niet onder de blote hemel slapen?"

„Ik weet het niet, dominee," loog Arnie. „Hij was al weg toen ik van Mijntje terugkwam."

„'t Is altijd wat met dat joch," mopperde de dominee. „Morgen kom ik terug om te kijken of hij er is. Zo niet, dan schakel ik de heer Rademakers in en zal er wel een opsporingsbevel worden uitgevaardigd. En als ze hem dan vinden, is-ie nog niet klaar met ons. Maar goed, ik moet nu gaan, anders kom ik te laat…"

De dominee besteeg mokkend z'n rijtuig en Arnie haastte zich naar binnen om zich over z'n fortuin te ontfermen. Hij liet een gouden tientje in z'n broekzak glijden en zocht voor de andere negen een goede bergplaats. Zoveel geld mocht-ie niet laten slingeren, want het wagenhuis kon niet afgesloten worden nu de sleutels in de brand waren gebleven. En als het ronddwalende volkje de lucht van geld opving, was er niets veilig voor ze.

Arnie verstopte de munten achter een hanenbalk en begaf zich, voor de tweede keer die dag, op weg naar de smidse.

Halverwege het pad moest-ie ineens terugdenken aan vroeger toen moeder hem altijd nawuifde van over het halve deurtje in de keuken. Later had Mijntje die gewoonte overgenomen.

Een week gevoel steeg vanuit z'n borst omhoog en een sterk verlangen naar vroegere tijden ging ermee gepaard. Een verlangen om zich weer om te draaien en te wuiven, ook al was er niemand en niets meer te zien.

Hij bleef staan en vocht tussen verlangen en verstand. Niet meer omkijken, er is niemand en niets te zien achter je. Er is niemand meer die je uitwuift of opwacht; je moet vooruitzien naar morgen en naar de zondagmiddagen als je je grote liefde weer mag zien. Daar moet je je aan vasthouden en naar uitkijken. Van gisteren kun je alleen nog dagdromen. Je moet door… Door… Je moet je verstand gebruiken en handelen. Zorg dat je ergens een paard kunt lenen om zondags naar Mijntje te gaan want lopen is geen doen, dan ben je de hele dag onderweg…

Voor-ie er erg in had bereikte Arnie de Dorpsstraat van Oud-

Eijkelaer en passeerde hij een bakkerij.

De geur van versgebakken brood kwam hem tegemoet en liet hem zijn lege maag goed voelen.

Op de terugweg moest-ie maar een brood meenemen en een potje vet. Twee broden zou beter zijn, dan had-ie voorraad. Misschien wilde de bakker een paar maal per week het brood thuisbezorgen, dat zou veel geloop besparen. De vrouw van de bakker zou wel weer de nodige vragen stellen, nieuwsgierig als ze was. Hij hoorde het haar al zeggen: „Bakt je zuster niet meer zelf? Ach… is ze opgenomen? Waarom dan wel? Je zal wel goed vangen na die brand, is 't niet? Heb je nog steeds geen verkering? Goh, mijn zoon is jonger, maar is al lang en breed getrouwd, hoor…"

Arnie liep de smidse binnen en zag dat hij niet de enige klant was. Hij had dat ook niet verwacht want de smidse was van oudsher een trekpleister voor eenieder die behoefte had aan een praatje of een nieuwtje. En Arnies komst was nieuws en hij werd dan ook met vragen overstelpt.

Hij beantwoordde ze allemaal, want zo hoorde het. Niet-antwoorden werd beschouwd als hoogmoed en als het niet-waarderen van medeleven en saamhorigheid.

Met een dozijn aan goedbedoelde wensen en een kachelpijp onder de arm, verliet Arnie de smidse. Het gouden tientje zat nog onaangebroken in z'n broekzak want de smid vond het een eer om op die manier z'n medeleven te betuigen, zo zei hij.

Beladen met boodschappen liep Arnie in het schemerdonker huiswaarts en bleef zo nu en dan staan om van het verse brood te happen.

Thuis zette hij z'n maaltijd voort met het roggebrood en spek van Plaggemientje.

Daarna stak hij de gekochte olielamp aan en zette het potkacheltje op de plaats waar het dienst moest doen. Later op de avond klauterde hij vermoeid in z'n nieuwe slaapplaats, de boerenwagen, en dekte zich toe met een paardendeken.

Met z'n handen onder het hoofd staarde hij in de duisternis van het wagenhuis en dacht aan Mijntje.

Zou Mijntje hem ook zo missen? Zou ze ook zo vaak

terugdenken aan de tijd dat hun ware liefde opbloeide? Dat ze als man en vrouw in elkaars armen lagen, hun warme lichamen tegen elkaar, hun lippen verzegeld in een ademloze liefde. Rijker en gelukkiger dan ze ooit hadden durven hopen.

't Was van korte duur geweest, maar het herinneren meer dan waard. En het kindje dat op komst was zou het symbool van hun liefde worden. Hun eigen kind, al mocht niemand dat weten. Het rijke gevoel ervan kon niemand hem afnemen.

Zou het een jongen worden? Dan moest-ie Lobbe heten, naar vader. En een meisje naar moeder.

Als Mijntje meerderjarig was, zou het kindje vijf jaar zijn en mochten ze beiden weer thuiskomen.

Dan zou er weer Ovinkbloed rondlopen op een plek waar nu alle Ovinks verdwenen waren.

Zou het daarom zijn dat alles zo plotseling was afgebroken? Wilde God hem erop wijzen dat hij hier niet hoorde? Dat hij een bastaard was die hier geen rechten had? Moest hij de rest van z'n leven over Gods wegen zwalken en naar zijn afkomst zoeken omdat hij eigenlijk niemand was?

Mijn naam is niemand. Ik ben er dus niet! Zou God het zó willen?

Nee, dat kon niet. God was liefde en dat gold ook voor hem. Zo hadden vader en moeder het hem altijd voorgehouden. En het gaf een fijn gevoel te weten dat er altijd Een was die onvoorwaardelijk van je hield.

Maar waarom was er dan steeds dat knagende gevoel vanbinnen? Dat gevoel van onbehagen en onvrede over het raadsel van z'n afkomst?

Wie waren toch die twee mensen bij wie er geen plaats voor hem was? Hoe zagen ze eruit? Leefden ze nog?

Bij wie kon hij daarover informatie krijgen?

Niet in deze streek, dat was uitgesloten. Trouwens, wie dankte z'n kind nou af in z'n eigen omgeving. Nee, zijn wortels lagen elders, maar waar…

Door z'n gepieker en de harde bodem van z'n slaapplaats, duurde het lang eer Arnie sliep en hij werd pas wakker toen er luid op de deur gebonsd werd. Haastig schoot hij z'n broek aan en stond even later oog in oog met de dominee.

„Widde!" zei deze kort en korzelig.

Arnie schudde zijn slaperige hoofd: „Die is er niet, dominee. 't Spijt me voor u."

„Voor mij?! Voor mij?!" reageerde de dominee heftig, „voor je broer, zul je bedoelen, want die zal er spijt van krijgen. Geloof maar gerust dat we hem zullen vinden!"

Met deze woorden draaide de dominee zich om en vertrok.

De rest van de dag bracht Arnie door op z'n akkers waarvan hij in de namiddag terugkeerde om zich bezig te houden met de aanleg van de kachelpijp.

Hij klom op het dak, haalde enkele dakpannen weg om een gat te zagen toen hij vanuit de verte de klanken van een harmonica opving.

Verrast en ontroerd gleden z'n ogen snel over het landschap en ineens zag hij iemand vanachter de houtwallen tevoorschijn komen.

Geurt, schoot het door hem heen.

't Wás Geurt en ze wuifden naar elkaar en Geurt begon een herderslied te spelen.

Arnie kende het lied omdat moeder Ovink het dikwijls zong tijdens de winteravonden als ze rond de schouw zaten. Het lied ging over een oude schaapherder die zijn einde zag naderen en geen afscheid kon nemen van zijn dieren.

De weemoedige harmonicaklanken en het weerzien van Geurt brachten Arnie in beroering, maar weerhielden hem niet om haastig van het dak te komen en Geurt tegemoet te gaan. Ze omarmden elkaar zonder woorden totdat Geurt zei: „Ik wist niet dat brand er zó uit kon zien. Ik herkende de omgeving niet meer terug en daarom schoot dat droeve lied me te binnen."

„Wie heeft je van de brand verteld?" vroeg Arnie.

„Hanna. Gisteren kreeg ik bericht van haar en wilde ik meteen naar je toe, maar ja, de week heeft nu eenmaal zes werkdagen, hè. Maar toen vanavond om zes uur de fluit op de werf klonk, ben ik meteen weggegaan."

„En hoe laat is het nu?" vroeg Arnie.

„Bij achten."

„Bij achten? Zó... dat heb je dan snel gedaan," vond Arnie. „Ja jongen, je moet harmonica leren spelen, dan krijg je altijd een lift."

Voor het eerst lachte Geurt maar werd meteen weer ernstig.

„Ik vind het bedonderd voor je," zei hij toen ze bij het wagen-huis aankwamen en hij de ravage van dichtbij zag.

„Ik krijg er kippenvel van, weet je dat. 't Is bijna geen doen voor je om daar elke dag naar te moeten kijken."

„'k Heb niet veel tijd om te kijken, Geurt. Er is zoveel te rege-len en ik moet toch verder, hoe je het ook bekijkt."

„Dat is mannentaal," vond Geurt, „zo moet je doorgaan, kerel."

Eenmaal binnen plofte hij in de stoel neer en keek om zich heen.

„'t Is behelpen," zei hij, „maar je hebt het al een beetje bewoonbaar gemaakt, zie ik."

„Ja," beaamde Arnie, „allemaal gekregen van de omwonen-den. Goed hè?"

„Dat is het zeker," vond Geurt en dronk gretig van de geiten-melk die Arnie hem voorzette.

„Koffie kan ik je helaas niet aanbieden," verontschuldigde Arnie zich. „De kachel is nog niet aangesloten."

„Dat is dan een mooi karweitje voor mij," zei Geurt. „Per slot van rekening ben ik de timmerman en niet jij."

Samen gingen ze aan de slag en toen de duisternis compleet was, brandden in het wagenhuis de kachel en de olielamp en zong de waterketel z'n eigen lied.

„Fijn dat je er bent," kon Arnie niet nalaten te zeggen. „'t Is ineens een stuk gezelliger hier. Blijf je slapen? Ik heb nog stro en een deken voor je."

„Ik zou best willen," antwoordde Geurt. „Hanna heeft toch geen tijd voor me. 't Is zaterdagavond en dan is de herberg afgeladen vol."

„Dus je blijft?"

„Ja, dat doe ik, dan kunnen we weer eens bijpraten."

Ze deden dat tot diep in de nacht en moesten zich de volgen-de morgen reppen om op tijd in de kerk te zijn. „Wilde je zo-maar mee of had je behoefte aan een geestelijk woord?" vroeg Arnie aan z'n vriend toen ze het kerkepad opliepen.

„Geen van beide," antwoordde Geurt, „maar m'n ouders hebben me gevraagd te gaan, dus dan doe je dat, hè. Om niet te
gaan en dan een smoesje te verzinnen heb ik geen puf. Daar
zijn ze te goed voor. Maar ze zijn altijd maar bang dat ik op het
verkeerde pad terechtkom als ik wel naar de herberg ga en
niet naar de kerk. Een soort bezorgdheid van ze."
„Wees er maar blij mee," vond Arie.
„Dat ben ik ook wel," zei Geurt, „maar soms is het wel eens
benauwend."
„Alles heeft z'n keerzijde," merkte Arnie op.
„Dat is een feit," beaamde Geurt, „maar om welke reden ga jij
eigenlijk naar de kerk? Ga je uit behoefte of uit gewoonte?"
„Bij zo'n vraag heb ik nooit stilgestaan, Geurt. Ik ben opgevoed met een zondagse kerkgang en heb mezelf nooit afge-
vraagd of ik dat wel prettig vond. Ik ging gewoon mee en blijf
nu ook trouw aan het verleden. En ik weet niet of jij in een
God gelooft, maar ik wel. En sinds vader Ovink dood is heb ik
het gevoel dat hij en moeder dichter bij me zijn als ik in de
kerk ben. Net of ze naast me zitten. Vreemd hè?"
„Och, waarom, als het jou maar gelukkig maakt."

Na afloop van de kerkdienst nam de dominee Arnie even
apart.
„Je wilt vandaag zeker je zuster bezoeken?" vroeg hij.
Arnie knikte gretig.
„Dat vermoedde ik al," zei de dominee weer, „en omdat je zelf
geen vervoer hebt, dacht ik: je moest mijn paard maar
nemen."
„Dat is heel fijn, dominee!" riep Arnie verheugd, „maar heeft u
het zelf niet nodig?"
„Nee, jongen. De zondagen breng ik grotendeels door met de
bijbel, dus ga je gang maar."
Samen met Geurt liep Arnie naar de pastorie en haalde het
paard uit de stal.
Bij het afscheid nemen drukte Geurt hem iets in de hand.
„Hier, die is van jou," voegde hij eraan toe. „Een boer die van
uur noch tijd weet kan wel inpakken."
Verbluft staarde Arnie naar het zakhorloge in z'n hand en

schudde z'n hoofd. „Dit kan ik niet aanpakken, Geurt. Je was er zelf zo trots op."

„Niks mee te maken," vond Geurt. „Ik heb het twaalf jaar gehad en nu is het van jou, mijn beste vriend. En ga nu gauw door, anders krijg ik er nog spijt van."

Geurt lachte bij die woorden en keek geamuseerd naar Arnie die een kleur van verlegenheid had gekregen.

Hij greep Geurts hand en stamelde: „Dank je Geurt... Ik vind het een bijzonder gebaar van je... Ik zal er heel zuinig op zijn... Dag Geurt, tot ziens..."

Door zijn verlangen naar Mijntje, duurde de rit Arnie veel te lang. Het paard van de dominee toonde weinig elan. 't Was blijkbaar gewend aan een kalm gangetje en gaf geen gehoor bij een aansporing.

Arnie troostte zich met de gedachte dat het toch altijd nog sneller ging dan lopen en nam alle tijd om het zakhorloge te bewonderen.

Toen de bomenrij bij Mijntjes nieuwe thuis in zicht kwam, was Arnies geduld bijna op. Hij spoorde het paard aan tot een lichte draf en slaagde daar zelfs in.

Dicht bij het toegangshek bond hij het dier aan een paaltje en liep met bonzend hart de laan op.

Hoe dichter hij het gebouw naderde hoe sneller zijn benen gingen terwijl zijn ogen bliksemsnel over de vele ramen gleden.

Zou Mijntje ook zo naar hem uitkijken...

Ineens zag hij haar staan en een groot geluksgevoel stroomde door hem heen.

Hij bleef even staan omdat de vreugde die hem overviel zijn knieën deed knikken.

Hij wuifde met twee armen en Mijntje wuifde terug en toen kon hij zich niet meer beheersen en stormde het gebouw binnen. De conciërge, die hij bijna omver liep, keek hem geërgerd aan en hij vermande zich en betrad zo kalm mogelijk de koffiekamer.

Haastig zocht hij tussen de vele bezoekers naar die ene gestalte, maar kon die niet vinden. Totdat Mijntje ineens voor hem stond.

135

„Mijntje," fluisterde hij ontroerd en moest zich beheersen om haar niet in z'n armen te sluiten. „Mijntje, je bent er dus toch. Ik zag je niet en begreep er niets van. Je bent zo anders... Zo..."

„Ik weet het," viel Mijntje hem in de rede en lachte beminnelijk. „Ik ben anders gekleed en daarom zag je me niet zo gauw. Ik moet het huisuniform dragen. Vind je dat het me leuk staat?"

„Nou... eh... nee. Je kleding was me zo vertrouwd. Zo ken ik je mijn leven lang al. Maar je ziet er wel beter uit. Je hebt meer kleur op je wangen en dat doet me goed. Maar kunnen we niet naar buiten? Ik zou je zo graag willen omarmen en kussen."

„Dat kan helaas niet," zei Mijntje spijtig. „We mogen alleen onder begeleiding naar buiten en dat komt omdat er wel eens meisjes weglopen. Daarom moeten we ook allemaal eender gekleed gaan, dan val je buiten het gebouw direct op, begrijp je?"

Arnie knikte en kon zijn teleurstelling nauwelijks onderdrukken toen hij vroeg: „Dus we kunnen nooit meer knuffelen?"

Mijntje schudde meewarig haar hoofd en veranderde snel van onderwerp.

„Hoe gaat het op de hoeve, kun je je wel redden zonder mij?"

„'t Valt niet mee, Mijntje. Ik mis je heel erg en niet om het werk, hoor, dat weet je wel. Met dat werk red ik het wel. Ik sta een uur eerder op en dat scheelt een stuk."

„Dat is flink van je," prees Mijntje, „en je ziet er keurig uit. Zelfs je schoenen zijn gepoetst en dat vergat je meestal."

„Deze keer niet, Mijntje. Voor jou doe ik alles om er maar goed uit te zien."

„Daar ben ik blij om," meende Mijntje, „want de bezoekers van de andere meisjes zien er ook keurig uit."

„Wat zei je, Mijntje?" vroeg Arnie terwijl hij zich naar haar toe boog. „Ik verstond het laatste niet. Het is hier zo rumoerig."

„Inderdaad," beaamde Mijntje. „Het lijkt hier wel een kippenhok en er komt nog steeds bezoek bij."

„Kunnen we niet even naar je kamer?" vroeg Arnie.

„O nee, dat mag absoluut niet. We mogen de koffiekamer niet

uit. Trouwens, de toegangsdeuren naar deze kamer zijn allemaal afgesloten. Alleen de deur naar de uitgang is open en daar zit de conciërge in zijn loge."

„Dus toch een beetje gevangenisachtig," vond Arnie.

„Nee hoor, helemaal niet. Ik heb het hier goed naar m'n zin en dat had ik nooit gedacht. Ik mag geen zwaar werk doen en moet 's middags rusten. We hebben onderling veel plezier, vooral in de spinsterskamer. Die Annabel is me d'r eentje. Daar kun je mee lachen, hoor."

„Ik ben blij dat je het naar je zin hebt, Mijntje, want daar zat ik erg over in."

„O ja? Nou, dat moet je niet doen, hoor. Ik red me hier wel. Alleen... ik mis jou. Aan de hoeve heb ik niet gedacht, daar krijg ik de tijd niet voor. En weet je wat ik je ook nog wil vertellen, ik moest van de week voorzingen bij de dirigent van het koor hier. Hij vindt dat ik een mooie en zuivere stem heb en heeft me ingedeeld bij de sopranen. Leuk hè? Als we een uitvoering geven moet je komen, hoor."

„Wis en waarachtig," antwoordde Arnie, „als het werk het toelaat, ben ik er als eerste."

Hij boog zich wat dichter naar Mijntje en fluisterde: „Hoe is het met ons kindje, is de dokter tevreden?"

„Heel tevreden. Het is niet te klein of te groot en heeft een ferme hartslag, zei hij."

„Dat is een goed bericht, Mijntje. Heb je al eens aan een naam voor het kindje gedacht?"

„Nee, eerlijk gezegd niet. Jij wel?"

„Ja. Ik heb bedacht: als het een jongen is noemen we hem naar vader en een meisje naar moeder. Dat is zo de gewoonte en ze verdienen het ook, vind je niet?"

„Eh... ja dat wel... maar het zijn van die boerse namen, hè."

„Maar Mijntje toch, we zijn toch boeren?"

„Ja, dat weet ik ook wel, maar dat hoeven ze toch niet aan je naam te horen. Er zijn nog zoveel andere en mooiere namen. En nu we het daar toch over hebben: zou je me in 't vervolg Willemijntje willen noemen? Dat doen ze hier allemaal en het klinkt zoveel mooier. De meisjes hebben hier allemaal mooie namen zoals: Annabel, Henriëtte, Sophie, enzovoorts. Met

Willemijntje steek ik dan niet zo af, begrijp je?"

Arnie keek haar onthutst aan en schudde z'n hoofd. „Nee, Mijntje, dat begrijp ik niet. Je hoeft je toch niet te schamen voor je naam en afkomst? We zijn toch degelijk en gemanierd opgevoed?"

„Jaja, dat weet ik allemaal wel," antwoordde Mijntje kregelig, „maar ik wil niet bij hen afsteken."

„Spreek je daarom zo nu en dan anders dan je vroeger deed?" vroeg Arnie na een pijnlijke stilte.

„Ja. Ik wil net zo mooi gaan praten als Annabel, dat vind ik prachtig."

Arnie keek haar aan en zocht onopvallend haar hand. Toen hij die vast had fluisterde hij: „Voor mij ben je en blijf je Mijntje. Mijn Mijntje van de Leeuwerikhoeve. Maar als ik hier ben zal ik mijn best doen om je Willemijntje te noemen."

Ze spraken nog enige tijd over van alles en nog wat en toen een gongslag het einde van de bezoektijd aankondigde, liepen ze samen naar de deur waar iedereen samendrong.

Daar nam hij haar gezicht tussen zijn handen en fluisterde: „Dag lieve Mijn… Willemijntje, het duurt lang voor we elkaar weer zien. De vorige keer was het maar vier dagen, nu wordt het een hele week. Maar ik zal je schrijven."

„Ik jou ook," beloofde Mijntje en wees naar een venster. „Voor dat raam wuif ik je na, dan zie ik het paard ook nog even. Ben je met Ploos of Frouke gekomen?"

„Met Frouke," loog Arnie, „maar die kun je niet zien, ze staat buiten het terrein."

„O, dat is jammer. Is Widde soms met Ploos gaan passagieren? Dat doet-ie altijd op zondagmiddag. Heeft-ie de groeten nog meegegeven of komt-ie zelf een keer?"

Het zwijgen van Arnie en zijn plotselinge bleekheid ontgingen Mijntje niet en ze zei: „Zeg de waarheid maar, van Widde verwacht ik alles en niets."

„Widde is weg, Mijntje," zei Arnie moeizaam. „Hij is stilzwijgend naar Amerika vertrokken. De paarden heeft hij meegenomen en vermoedelijk verkocht om de reis te betalen."

Mijntjes ogen schoten vuur. „Wat een rotstreek!" riep ze luid.

138

„En hoe moet het dan met jou en de akkers, je kan toch niet zonder paarden?"

Mijntje was zo opgewonden dat ze niet zag dat sommige vertrekkende gasten haar wat misprijzend opnamen. Arnie legde dan ook haastig zijn vinger op haar mond. „Wind je niet zo op, lieverd, dat is niet goed voor je. 't Is jammer dat je naar Widde vroeg, ik had het voor je willen verzwijgen."

„Je hoeft niets voor me te verzwijgen," zei Mijntje wat minder luid, „ik ben een Ovink en die kunnen wel tegen een stootje. Maar hoe ben je hier gekomen, toch niet lopend?"

„Nee, ik mocht het paard van de dominee lenen. Het staat buiten het terrein, ik wilde niet dat je argwaan kreeg."

„Dat is lief van je," zei Mijntje ineens zacht, „maar voortaan niets meer voor me verzwijgen, hoor?"

„Beloofd," antwoordde Arnie en moest denken aan al het andere dat hij verzweeg.

Ze namen vormelijk afscheid en terwijl zijn voeten al over het grind knarsten, hoorde hij haar roepen: „Neem de volgende week mijn ringetje mee, het ligt in de ladekast van de keuken!" Hij keerde zich om, knikte nadrukkelijk en wuifde naar haar tot ze verdween.

Toen hij in de vooravond de roggepap bereidde, dacht hij terug aan de middag zoals hij ook tijdens de lange terugtocht voortdurend had gedaan.

Mijntje was ineens zo anders. En dat in vier dagen tijd. Willemijntje wilde ze heten en haar dialect afleren.

Maar waarom? Het was toch fijn zoals het was? Ze waren toch gelukkig? Twee boerenkinderen, grootgebracht in eenvoud en oprechtheid. Opgegroeid in de natuur. De vennen, de bossen, de heide. Ze kregen er nooit genoeg van. En nu?

Ze repte er niet meer over, toonde geen heimwee naar dat alles. Onbegrijpelijk was het, maar wel een teken dat ze het naar haar zin had. Ze zag er goed uit. Prachtig zelfs, alleen jammer van die kleding... Die rare muts met dat witte randje. Ze leek wel een verpleegster. Nee, dan die muts van vroeger met die waaier van plooitjes rond haar nek.

Ze leek daarmee wel een koningin. En mooi bleef ze en zou ze altijd blijven. 't Was heerlijk bij haar en ze was met niemand te vergelijken. Ze had een beter lot verdiend dan liefde op afstand en vijf jaar verstoten blijven van zijn warm bonzend hart en de complimentjes die hij haar altijd gaf voor haar schoonheid. Ze genoot daar zichtbaar van, ijdel als ze was. Ook vanmiddag liet ze dat blijken, ze wilde haar mooie ring dragen. 't Was een probleem dat zwaar op z'n maag lag. Hoe kwam hij aan zo'n zelfde ring? Als de juwelier in Bargveen nóg zo'n exemplaar had, was het probleem de wereld uit. Hij was dan weliswaar vijftien gulden armer, maar dat was het dik waard.

Peinzend at hij z'n pap en haalde daarna een akertje water uit de put voor de afwas.

Hij was er druk mee bezig toen de deur van het wagenhuis openging en de drie dochters van boer Brummer binnenkwamen.

Ze kwetterden alledrie door elkaar en hij wist niet naar wie hij het eerste moest luisteren.

„We komen even kijken hoe je het maakt. We hebben sokken voor je gebreid en een boezeroen genaaid. Eén met bloemetjes, die staan je zo goed. Vader en moeder zijn op verjaarsvisite en de knecht die op ons moest passen is in slaap gevallen. Dus dachten we: even ertussenuit piepen, even naar onze buurman. We vinden het zonde dat iemand zoals jij al dagen onbekeken blijft. Trek die nieuwe boezeroen maar even aan, dan kijken wij of-ie je goed past."

„Nou," zei Arnie, die zich wat overvallen voelde en niet goed raad wist met zijn bezoek, „ik pas het wel een keer en dan horen jullie er nog van. In ieder geval bedankt voor de attenties, ik kan die spulletjes goed gebruiken." De drie keken elkaar wat beteuterd aan en de oudste van hen kwam wat dichter bij hem staan en zei: „'k Heb nog iets meegenomen."

Ze maakte de knoopjes van haar keurslijfje dieper los dan nodig was en haalde een spel kaarten uit de spleet van haar weelderige boezem.

„Om de gezelligheid te verhogen," voegde ze eraan toe en zag tot haar voldoening dat haar gastheer kleurde tot in z'n hals bij het zien van haar rondingen. Ze maakte weinig haast met het dichtknopen van haar lijfje en babbelde vrolijk door. „Thuis mogen we geen kaartspelletjes doen, dat vindt m'n vader uit den boze. Hij weet niet eens dat er kaarten in huis zijn, dus mondje dicht. We kaarten ook wel eens in de kerk, als we op de achterste bank zitten en de preek te lang duurt."

Arnie knikte en woelde door z'n haar. „Ik zal eens koffie gaan zetten en kijken of ik voor iedereen een zitplaats kan verzinnen," zei hij om aan het zicht op de volle boezem te ontkomen. Een omgekeerde kruiwagen en een stapel paardendekens zorgden ervoor dat iedereen kon plaatsnemen rond het kistje waarop de kaarten werden uitgedeeld. En terwijl hij de koffie opschonk, keek hij vanuit z'n ooghoeken naar de oudste van z'n gasten. Ze zag er verdraaid goed uit en dat wist ze blijkbaar. Hij moest op z'n tellen passen, dat was zeker want z'n lichaam vroeg. Dat merkte hij wel toen hij haar boezem zag en haar vurige blik. Bovendien: hij had van de boom gegeten en wist hoe de vruchten smaakten. Daarom moest hij oppassen en niet wijken van zijn trouw aan Mijntje. Dat was de opdracht waar zijn lijf naar diende te luisteren.

Hij zette vier gehavende kroezen op tafel en hield met twee handen de koffieketel vast bij het inschenken. Niemand mocht zien dat de natuur iets in hem had losgemaakt.

Omdat hun ouders om tien uur die avond zouden thuiskomen, vertrokken Arnies gasten bijtijds en met veel gegiechel én de belofte dat ze nog eens terugkwamen.

Na hun vertrek spoelde hij de kroezen en vond dat het een gezellige avond was geweest. Maar die oudste moest maar wegblijven, dat zou veel beter zijn.

Daar dacht de oudste echter anders over.

Op een dag in mei, die Arnie op een van de akkers doorbracht, hoorde hij zijn naam roepen. Hij keek op en zag een vrouwenfiguur met een mand aan haar arm de akker opkomen.

Ze wuifde en hij wuifde terug maar wist niet naar wie. Leunend op z'n schoffel wachtte hij tot ze dichterbij kwam en ineens zag hij wie het was. Sybien, de oudste. Wat kwam die hier doen?

Ze wuifde weer en hield de mand omhoog die ze even later bij hem neerzette.

„Ik heb iets lekkers, speciaal voor jou," voegde ze er lachend aan toe.

Haar ogen twinkelden en gleden traag over hem heen.

Het maakte hem onrustig en hij zei haastig: „'k Heb weinig tijd voor een praatje, voor donker moet de helft van de akker geschoffeld zijn."

„Maar je neemt toch wel schafttijd?"

„Ja, dat wel, zonder eten kan niemand werken."

„Nou, dat dacht ik ook en daarom breng ik iets extra lekkers voor je mee. Warme koffie, want die drink je altijd koud, is 't niet?"

„Ja, dat kan niet anders. Ik vul de veldfles om zeven uur 's morgens, want tussen de middag naar huis lopen is te ver."

„Ook dat weet ik en daarom wil ik je nu eens een lekkere maaltijd bezorgen."

Ze boog zich over de mand waardoor haar welvingen weer zichtbaar werden.

„Kijk," zei ze, „twee zachtgekookte eitjes en versgebakken brood met buikspek. Kom maar mee, ik heb expres de huifkar genomen zodat je even uit de wind kan zitten." Even later zat hij in de huifkar met z'n rug tegen de wand een eitje te eten.

Ze schonk hem koffie in een fraai beschilderde beker en ging met opgetrokken knieën tegenover hem zitten. Haar lange rok trok daardoor iets op en een deel van haar welgevormde benen werd zichtbaar.

Zijn ogen trokken er wel even naartoe, maar hij besloot strak naar zijn boterham te blijven kijken. Hij voelde dat haar blik onafgebroken op hem gericht was en kreeg het warm. Heel warm.

Om snel weg te kunnen, schrokte hij de ene boterham na de andere naar binnen en juist toen hij van plan was op te staan, kwam ze naast hem zitten.

Hij schoof op maar ze schoof mee en zat op den duur zo dicht bij hem dat hij de warmte van haar lijf door z'n boezeroen heen voelde.

„Weten je ouders dat je hier bent?" vroeg hij omdat hij niets anders wist te zeggen.

„Jazeker, m'n moeder heeft zelf de mand ingepakt."

„O, wil je haar dan hartelijk danken, want ik heb zelf geen tijd om te komen."

Hij veegde met z'n mouw de zweetdruppeltjes van z'n voorhoofd en wilde opstaan. Maar ze trok hem aan z'n mouw terug en voor hij het wist lag ze half over hem heen en kuste heftig z'n mond.

„'k Ben stapelgek op je," hijgde ze. „Stapelgek. Ik heb al een paar keer verkering gehad maar niemand haalt het bij jou. Ik heb dikwijls uren gelopen om je even te zien. Ik wil alleen jou. Neem me voor jezelf. Doe het... Doe het." Ze kronkelde haar lichaam met kracht om hem heen en kuste hem tot hij naar adem snakte.

„Neem me," hijgde ze weer, „toe maar, ik voel dat je het wilt." Ze begon aan zijn kleren te trekken en kuste zijn 'nee, nee' weg.

Hij voelde hoe zijn weerstand wegebde en plaatsmaakte voor een grote begeerte. Maar ineens verscheen de beeltenis van Mijntje hem voor ogen en bracht hem met een schok bij zinnen.

Mijntje, Mijntje had hem behoed voor z'n val. Wat een geluk, anders had hij haar nooit meer recht in de ogen kunnen kijken! Met verfomfaaide kleren en verwarde haren sprong hij uit de huifkar en wilde de akker oprennen, maar het luide snikken van Sybien weerhield hem.

Zo kon hij haar niet achterlaten, dat hoorde niet. Hij had kunnen weten hoe Sybien was. Dat had ze op die bewuste avond al laten zien. Hij had haar gedrag toen met een ordinaire verleidster vergeleken en haar niet netjes gevonden. Maar nu zag hij haar anders. Sybien was verliefd en wilde hem dat die avond al tonen. Ze wilde hem laten zien dat ze welgeschapen was en zo-even wilde ze hem dat laten proeven. Wat kan een verliefd hart een mens toch tot vreemde handelingen brengen. Maar hij moest haar liefde wel serieus nemen en haar vooral niet gekwetst achterlaten. Hij had haar iets uit te leggen. Moest haar vertellen dat-ie z'n hart al had weggegeven. Maar hoe moest hij dat doen? De naam Mijntje mocht niet genoemd worden...

Met loden schoenen klauterde hij de huifkar weer in en boog

zich over Sybien heen, die nog altijd snikte. „Sybien," zei hij zacht en tilde haar overeind. „Sybien, het spijt me dat ik je teleurgesteld heb, maar ik kon niet anders. Echt niet. Ik..."

„Je wilt me niet," viel Sybien hem in de rede, „en dat had ik nooit verwacht. De meeste jongens willen me wel, dus jij ook, dacht ik. En omdat je zo schuchter bent besloot ik je zelf maar te vragen. Niet wetende dat..."

Sybien barstte weer in tranen uit en Arnie trachtte haar te troosten. Hij pakte zijn zakdoek en droogde haar tranen.

„Ik vind het akelig dat je zo'n verdriet hebt, Sybien. Je bent nog te jong voor tranen."

Hij raapte haar muts van de grond en veegde die met z'n mouw schoon met de woorden: „Er zijn vast veel mannen die jou begeren, Sybien."

„En waarom jij dan niet?"

„Ik... ik heb m'n hart al weggegeven, Sybien."

„Dat lieg je!" viel Sybien fel uit. „Ik heb je nooit met een meisje gezien. Niemand hier. En je weet zelf hoe gauw zoiets bekend is."

„Ze woont in Groningen," bekende Arnie.

Sybiens mond viel open. „In Groningen?! Wanneer heb je haar dan ontmoet, je bent nooit van huis weggeweest."

„Dat klopt allemaal, Sybien. Ik heb haar ontmoet toen ik Mijntje wegbracht."

Arnie kleurde van z'n eigen leugen, maar dat zag Sybien niet. Ze staarde ontgoocheld naar de grond en mompelde: „Dus er is geen hoop meer voor mij?"

„Dat denk ik niet," antwoordde Arnie voorzichtig, „en liefde is te mooi voor vage beloftes."

Sybien knikte afwezig en zette haar muts op. „'t Wordt tijd dat ik weer eens ga," zei ze en schoof met neergeslagen ogen langs hem heen naar buiten.

Ze wilde op de bok van de huifkar stappen maar Arnie hield haar tegen. „Laten we zo niet uit elkaar gaan, Sybien. We kunnen elkaar toch blijven groeten?" Sybien zweeg en keek naar haar voeten.

„Kijk me eens aan, Sybien, we hebben toch niets te verbergen?"

144

Sybien keek op en er waren weer tranen toen ze zei: „Ik schaam me zo..."

„Schamen? Voor liefde hoef je je nooit te schamen, Sybien. Kom hier, dan krijg je een kus want je bent een lieve meid."

Toen Sybien op de bok zat en de teugels pakte, talmde ze even.

„Wil je nog iets zeggen, Sybien?"

Ze knikte en wierp hem een schichtige blik toe toen ze antwoordde: „Dat van zo-even... weet je wel... Blijft dat tussen jou en mij?"

„Maar natuurlijk, Sybien, dat beloof ik je met m'n hand op m'n hart."

De rest van de dag bleef hij aan het voorval denken en was veel later dan hij gehoopt had, thuis.

Hij schilde de aardappelen, zette ze op het vuur en zocht het emmertje geitenmelk dat sinds de brand door Brummer in het wagenhuis gezet werd. Het emmertje stond er maar was leeg, dus liep hij naar het bleekveld waar de geit overdag verbleef. De geit was niet gemolken, dat zag hij direct. Zou er iets mis zijn bij de Brummers?

Lang hoefde hij niet op het antwoord te wachten, want terwijl hij het spek uitbakte, stapte Brummer binnen.

„Ik ben de geit niet vergeten, hoor," viel hij met de deur in huis, „maar er was wat gedoe in het gezin, daardoor ben ik met alles wat later."

„U heeft u niet te verontschuldigen, buurman," vond Arnie. „Ik ben al blij dat u het voor me doet en ik vind dat het tijd wordt dat ik alles zelf weer ga doen. Ik moet leren m'n eigen boontjes te doppen."

„Dat red je niet, jongen," meende Brummer, „dat wordt je te veel. De akkers, de geit, je huishouding. 't Bestaat niet dat je dat allemaal alleen kan doen."

„Dat zal toch moeten, buurman, ik heb geen keus." Arnie keerde het spek nog eens om en Brummer zei: „Kom, ik zal de geit maar eens melken, dan kan jij gaan eten."

„De geit is al gemolken, buurman."

„O... o, dan ga ik maar weer."

Brummer schoof z'n pet in de ogen, maar scheen toch niet veel haast te hebben. Hij keek toe hoe Arnie z'n bord vulde en zei opnieuw: „Nou... eh... dan ga ik maar. Eet smakelijk, moge God je spijzen zegenen."

Z'n getreuzel was Arnie niet ontgaan en hij zei: „Als ik gegeten heb zet ik koffie, wilt u ook een kommetje?"

„Nou, daar zeg ik geen nee tegen," reageerde Brummer gretig en hing z'n pet aan een spijker.

„Ik vind het wel eens fijn om met een man te praten," vervolgde hij. Ik zit de hele dag tussen vrouwen en daar word je wel eens dol van. Vooral vandaag."

Arnie blikte even naar Brummer op. Zou Sybien gepraat hebben en kwam Brummer om nadere uitleg vragen? Nou, dat mocht, maar nu even niet, daar rook het spekvet te lekker voor. Maar zolang kon Brummer niet wachten en terwijl Arnie at luchtte Brummer z'n hart.

„Tja... 't is sinds de noen helemaal mis met Sybien. Ze is naar haar kamertje gegaan en wilde niet beneden komen. Ook niet met het avondeten. 't Is me een toestand. Ik kreeg nog bijna ruzie met moeder de vrouw ook, want die heeft Sybien al dagen opgejut en gezegd: je moet de kat op het spek zetten. Ik was het daar niet zo mee eens, maar ja, bij vier vrouwen moet je nog wel eens het onderspit delven. Dat is ook een beetje m'n eigen schuld, hoor. Sinds de dood van m'n zoon is de fut er een beetje uit bij me. Daarom is dat van vanmiddag zo jammer. Ik zag weer wat licht aan de horizon met jou als schoonzoon. Denk nu niet dat ik je iets kwalijk neem, hoor. Maar elk mens heeft zo z'n illusies. Ik zag in jou de juiste man voor Sybien en voor ons bedrijf. Ik weet uit wat voor nest je komt en wat je presteert. En weet je wat nu zo vreemd is? Voor vijf jaar terug zou ik jou en je broer nooit als kandidaten voor m'n dochters hebben gezien want, en dat weet jij net zo goed als ik, wij zijn vermogender. Bij ons vergeleken waren jullie kruimelboertjes en geld trouwt nu eenmaal met geld. Maar na de dood van mijn zoon denk ik daar anders over. Voordien heb ik de waarde van het geld altijd overschat."

Brummer zweeg even omdat Arnie zijn dankgebed deed. Daarna zette hij het eenzijdige gesprek voort en toen hij uren later zijn pet van de spijker lichtte zei hij: „Morgen ben ik weer op tijd om te melken en wat Sybien betreft: denk er nog eens over na. Je zult er een goede vrouw aan hebben met een bruidsschat van drieduizend gulden. En doordat ik de laatste jaren veel land heb verkocht, is de grote schuur vrijgekomen. Die zou voor jullie tot woonhuis omgebouwd kunnen worden en natuurlijk op mijn kosten..."

't Was een prachtig voorstel, besefte Arnie in de dagen daarna. Maar niets woog op tegen Mijntje en het kind dat ging komen. Niets en niemand kon hem gelukkiger maken dan die twee. En als hij eind oktober zich als knecht kon verhuren en spaarzaam was, zou hij een aardig centje achter de hand hebben als die twee thuiskwamen.

Vijf jaar sparen en dan elders opnieuw beginnen. Ver van hier een nieuw bestaan opbouwen met Mijntje en het kind. Vader mogen zijn van misschien wel een zoon. Een jongen met de blonde krullen van z'n moeder. Een joch waarmee-ie door bos en heide kon dwalen en die allerlei vragen stelde, net als z'n moeder dat deed. Ja, dat was rijkdom. Dat was geluk.

Mijntje en hij moesten dan wel in zonde leven, maar misschien kon God hun dat vergeven omdat het om ware liefde ging. Als het eerst maar zover was...

De gedachten aan zo'n toekomst sterkten Arnie in z'n lange werkdagen. Ze brachten hem een doel voor ogen en troostten hem in de eenzame uren.

De dochters van Brummer lieten zich niet meer zien en toen hun vader na enige tijd bemerkte dat Arnie niet van plan was z'n schoonzoon te worden, liet ook hij het afweten en zei dat het melken van de geit toch wel veel van zijn tijd vergde.

HOOFDSTUK 9

Tot Arnies verrassing had Geurt besloten om elke zaterdagavond bij hem op bezoek te komen. Hij bleef dan slapen en ging zondags mee naar de kerk.

Het was een welkome afleiding die, volgens Geurt, een tweeledig doel heiligde: nu zie ik jou en Hanna wat vaker en vooral bij Hanna is dat nodig, want zoals het tot nu toe gaat, is er voor mij weinig kans op een hechte band met haar. Ik heb er goede hoop op dat het nu beter zal gaan.

Zo werden de weekeinden een stuk gezelliger voor Arnie. Al dagen van tevoren keek hij ernaar uit en trok zich op aan de jongensachtige vrolijkheid van Geurt, die nooit zorgen leek te hebben.

Dat lag bij Arnie anders. Hij maakte zich zorgen over de gewassen die door het uitblijven van regen nauwelijks enige groei vertoonden. Het koren stond er petieterig bij en met de aardappelen was het al niet veel beter. Bovendien lag Mijntjes gedrag tijdens de laatste bezoeken hem zwaar op de maag.

Ze had kritiek gehad op zijn werkhanden en niet goed gestreken boezeroen. Hij moest maar nieuwe kleren kopen. Net zo'n prachtig pak als de dirigent droeg. En hij mocht vooral niet zeggen dat-ie maar een pachtboertje was, want de meisjes wisten niet beter dan dat vader bij leven een herenboer was geweest.

Hij moest 's avonds z'n handen maar langdurig in het sop houden en op zondag krijt onder z'n nagels doen.

Alleen toen ze haar ringetje terugzag was er weer even die oude glans in haar ogen.

Ook had ze weinig tijd om hem uit te wuiven want ze moest voorzingen bij de middagdienst en zich daarvoor nog even opknappen.

Met een hoofd vol vragen bracht hij de dagen van de week door. Had Mijntjes liefde voor hem het hoogtepunt gehad? Waarom vroeg ze nooit meer naar de hoeve en haalde ze geen herinneringen meer op aan vroeger? Ze kon toch ook al die avonturen in het bos niet vergeten zijn? De geheime plekjes waar ze hutten bouwden en elkaar bang maakten met verhalen over moerasgeesten en dwaallichtjes...

Toen hij er met Geurt over sprak, wuifde deze al zijn muizenissen weg. „Ze is zwanger en ik heb me laten vertellen dat vrouwen dan heel veranderlijk zijn. Laat het maar zo, ze draait wel weer bij."

Arnie legde zich bij die uitleg neer, maar echte rust bracht het hem niet. Hij weet dat aan de slechte zomer en de oogst die daardoor mislukken kon.

Maar toen eind juli de gebeden van de boeren werden verhoord en de begeerde regen eindelijk viel, was de onrust in z'n hart nog altijd aanwezig en werd het gelijk daarvan bewezen bij het eerstvolgende bezoek aan Mijntje.

Haar begroeting was afstandelijk en koel en ze was zichtbaar nerveus toen ze zei: „De dirigent wil kennis met je maken, probeer zo netjes mogelijk te spreken en houd je handen op je rug. Hij is zó beschaafd en charmant. Kijk, daar komt-ie."

Maar Arnie keek niet. Hij hield zijn ogen op haar gericht en zag hoe haar houding plotseling veranderde.

Er kwam een blos op haar wangen en een warme glans in haar ogen. Dezelfde glans als op de avond dat ze in haar nachtkleding zijn kamertje binnenkwam.

De dirigent gaf Mijntje een kushand en hield haar hand veel te lang vast. Daarna boog hij hoffelijk naar Arnie en zei: „Uw zusje heeft een prachtige zangstem. U kunt trots op haar zijn. Ik ben van plan haar elke week een uur privéles te geven."

Toen de dirigent, tot Arnies opluchting, weer vertrok, zag hij hoe Mijntjes ogen hem volgden totdat de deur achter hem gesloten was.

Met een schrijnend gevoel in z'n borst en kaken op elkaar geklemd staarde hij over de hoofden van de bezoekers heen naar buiten.

Wat was hier aan de hand? Wat moest die vent van Mijntje en wat moest Mijntje met die zelfingenomen kwibus met z'n mooie gezicht en slanke gave handen? Die vent wist toch ook wel dat Mijntje zwanger was? 't Was immers duidelijk te zien...

„Ik mag hem bij z'n voornaam noemen," verbrak Mijntje de

gespannen stilte. „Herbert heet-ie, mooie naam hè?" Arnie deed alsof hij haar niet gehoord had en zei stroef: „We gaan even aan dat tafeltje zitten, daar in de hoek."

„Nu nog? 't Is al bijna tijd."

„Voor mij niet. Ik heb een paar vragen op m'n hart en die wil ik kwijt."

De toon waarop hij sprak deed Mijntje schrikken en ze vroeg voorzichtig: „Wat voor vragen en wat zie je ineens wit?"

„Hoe ik eruitzie kan me niet schelen, maar ik wil weten wat er tussen jou en die dirigent gaande is."

De directe vraag bracht Mijntje uit balans en ze frommelde zenuwachtig aan haar rok voor ze wat lacherig zei: „Helemaal niets... hoe kom je daar nou bij."

„Ik heb je naar hem zien kijken en ik ken je goed genoeg om elke blik van jou te begrijpen. Je hebt meer dan gewone belangstelling voor hem, waar of niet..."

Mijntje haalde haar schouders op en keek een andere kant uit.

„Geef antwoord, Mijntje, we hebben niet veel tijd meer en ik voel dat er iets is. Je bent anders tegen mij dan vroeger."

„Vroeger is zo lang geleden," vond Mijntje.

„Voor mij niet, Mijntje. Voor mij is vroeger nog gisteren." De gong klonk en Arnie stond op. Hij zocht Mijntjes hand en vroeg, met enige dwang in zijn stem: „Hou je nog van me, Mijntje?"

Mijntje stond op en streek uitvoerig haar kleding glad. „Ik denk het wel," antwoordde ze vlak en zonder op te kijken.

Lang galmde haar antwoord na en achtervolgde hem de hele week. „Ik denk van wel." Wat moest-ie van die woorden verwachten? 't Was te veel om de moed te laten zakken en te weinig om op te teren.

En dan de toon waarop het gezegd werd. Er was geen enkele warmte in haar anders zo melodieuze stem geweest.

Maar ach, hij moest de moed maar niet laten zakken. „Ze draait wel weer bij", had Geurt gezegd en dat zou heel goed kunnen. Ze waren immers altijd één geweest, waarom nu dan niet?

Alles zal wel weer goed komen en misschien was het verstandig om zich eens in het nieuw te steken. Een mooi pak bleek wonderen te doen bij Mijntje.

En niet langer met het scheermes in z'n haar hakken, maar een keer naar de kapper gaan...

De ring van Mijntje en zijn nieuwe kleren hadden een flink gat geslagen in z'n geldbuideltje achter de hanenbalk. Nog maar twintig gulden had hij over om van te leven tot het oogstgeld binnen was en dat duurde nog even. Maar het resultaat was de moeite waard want Mijntjes bewonderende blikken hadden z'n ziel gestreeld en hem een kus op de wang opgeleverd.

'Een echte heer' had ze hem genoemd, maar z'n wekelijkse brief onbeantwoord gelaten.

Hij liet zich daar echter niet door uit het veld slaan. Hij bleef schrijven en haar trouw bezoeken.

Zo ook op die snikhete zondag in augustus.

De tocht ging ditmaal te voet omdat de dominee was weggeroepen voor een sterfgeval.

't Werd een lange voetreis waarbij de zon onbarmhartig door z'n zwarte pak schroeide. Er was geen zuchtje wind te bekennen en hij prees zich gelukkig dat hij een veldfles met water in z'n broekzak had gestopt.

Zo nu en dan maakte hij zijn zakdoek nat en wiste zijn gezicht en hals ermee af.

't Was beslist geen plezierige wandeling en zeker niet door de heidevelden die hij had verkozen boven sommige zandpaden omdat het de afstand verkortte.

De heide stond in volle bloei en vormde een groot geurig tapijt waarboven de veldleeuwerik z'n lied zong. De takken van de vlier hingen zwaar van de bessen en soms kruiste een geschrokken haas zijn pad.

Maar Arnie had nergens oog voor. Zijn gedachten waren bij Mijntje.

Hoe zou ze vandaag zijn? Weer net als vroeger of net zo stroef als bij de laatste bezoeken?

Over haar zanglessen en de dirigent had ze niet meer gesproken en geen antwoord gegeven toen hij ernaar vroeg. Was haar overdreven belangstelling voor de dirigent over, of was die er nooit geweest en had de jaloezie hem in de greep?

Een halfuur later dan gewoonlijk kwam hij de koffiekamer binnen. Rood en bezweet na drie uur lopen.

Mijntje zat bij het raam en wenkte hem met een strak gezicht.

Hij haastte zich naar haar toe en wilde haar een kus geven, maar die weerde ze af en zei: „Wat ben je laat."

„Ja, ik weet het, maar ik ben te voet gekomen omdat de dominee het paard zelf nodig had."

„Dan zul je wel moe zijn."

„Ja, 't is een hele tippel, maar wel de moeite waard, vind ik."

Mijntje gaf geen antwoord en wees naar de stoel tegenover haar. „Die is vrij, dus ga even zitten."

Hij deed het graag en strekte z'n vermoeide benen zonder z'n blik van haar af te houden.

Er was iets met haar. 't Stond op haar gezicht geschreven. Moest-ie er naar vragen of juist niet en genieten van hun samenzijn?

Hij besloot tot het laatste en roerde zwijgend de koffie die een juffrouw bij hem neerzette.

„Ik vind het akelig om te zeggen," begon Mijntje plotseling en met trillende stem, „maar het lijkt me beter dat we elkaar voorlopig niet zien. Ik moet over bepaalde dingen nadenken en alles eens goed op een rijtje zetten over wat ik wel en niet wil. Ik hoop dat je er begrip voor hebt en me die rust gunt."

Het was een lange weloverwogen zin met geen woord te weinig of te veel. Maar wel een zin die hij nooit verwacht had en dat was aan hem te zien.

Met vertrokken gezicht staarde hij haar aan en het koffiekopje in z'n hand zakte scheef waardoor een deel van de inhoud op z'n mooie pak terechtkwam. Maar hij zag het niet en schudde niet-begrijpend z'n hoofd. „Ik kan je woorden niet geloven, Mijntje. 't Is net of ik droom."

„Dat is helaas niet zo," zei Mijntje toonloos en met gebogen hoofd.

„Is dan al het mooie dat er tussen jou en mij was ineens verdwenen, Mijntje? Dat kan toch niet? Het zat er zoveel jaren en zo diep geworteld. Weet je eigenlijk wel wat je zegt?"

Mijntje antwoordde niet en hij zag dat er ineens tranen bij haar kwamen.

Met z'n natte zakdoek veegde hij ze weg en z'n hart kromp ineen bij het zien van haar verdrietige ogen en moedeloze houding.

„Zal ik... Zal ik dan maar gaan?" hoorde hij zichzelf zeggen. „Is dat beter voor je?"

Ze knikte mat en voor hij het goed en wel begreep, hoorde hij het knarsen van het grind onder z'n nieuwe schoenen. Aan het einde van de oprijlaan keek hij nog eenmaal om maar er was niemand te zien achter de ramen.

Met een leeg hart begaf hij zich op weg naar huis en vroeg zich voortdurend af waardoor en waarom het plotseling zo was misgegaan tussen hem en Mijntje.

Duizend vragen bestormden hem, en hij kon er maar één antwoord op vinden: Mijntje was verliefd geworden op de dirigent maar wilde hem dat niet ronduit zeggen. Dat wilde ze hem besparen en dat was in haar te prijzen.

Maar het feit was er niet minder bitter om en deed heel zeer vanbinnen en dat had hij kunnen voorkomen door meer rekening met haar te houden, net als hij dat destijds had gedaan.

Mijntje was immers nooit van huis geweest. Had nooit voor een keuze gestaan en daardoor blind voor hem gekozen.

Nu was ze uitgevlogen. Had een nieuwe wereld ontdekt. Een knappe man die haar paaide, misschien wel kuste... of... of dat andere.

Nee nee, aan zulke dingen moest-ie niet denken, dat was onverdraaglijk. Dan zou-ie zich nu nog omkeren om die vent... Want Mijntje moest rein blijven. Geen andere handen aan haar lichaam. Die gedachte was niet te verteren.

En dan het kind. Als Mijntje verliefd was en het zou iets worden tussen haar en die man, hoe ging het dan met het kind? Zou ze het kind vertellen wie de echte vader was?

En de bevalling, zou ze hem laten roepen? Zou op zo'n moment het bloed dan toch kruipen waar het niet gaan kon?

Vreemd dat hij op een moment als dit ineens aan Sybien moest denken. Begreep hij nu pas wat Sybien voelde? Wat erg om iemand zoiets aan te doen.

Was het daarom dat Mijntje huilde?'

't Was de warmte, de vermoeidheid, maar vooral de afwijzing van Mijntje die de terugweg voor Arnie zwaar maakten. Bovendien was de veldfles leeg en knelden z'n nieuwe schoenen aan alle kanten.

Hij besloot een schaduwrijk plekje te zoeken om even uit te rusten en sloeg daarom, enkele honderden meters verderop, een zijweg in.

Het bordje 'eigen weg' negeerde hij en plofte even later neer onder een grote boom bij een slootje.

Hij verloste zich van z'n schoenen en ging met een zucht van verlichting languit liggen.

Toen de ergste vermoeidheid uit z'n benen was, richtte hij zich op en keek op zijn horloge. Halfzes, en hij was nog maar op de helft. Flink doorstappen dus, want de geit moest nog gemolken en de kachel aangemaakt om het eten te koken. Hij rechtte z'n rug en tuurde naar de boerderij waar de eigen weg naartoe leidde.

Zou hij daar z'n veldfles mogen vullen? 't Was te proberen.

Hij had de bochtige weg nog maar zo'n meter of vijftig afgelegd, toen hij plots bleef staan.

Dat paard daar... dat leek op Frouke. Sprekend Frouke. Of was het een visioen? Ja, dat moest wel want zo schonkig en armetierig zag Frouke er niet uit. Maar toch... Het profiel, de bles, diezelfde lange staart.

Arnie versnelde z'n pas en keek onafgebroken naar het paard in de ring. En hoe dichter hij naderde hoe zekerder hij werd.

Even twijfelde hij weer want Frouke was onstuimig en dapper en liet dat altijd zien. Maar dit paard was te triest, te gebogen, te uitgemergeld om op te kijken.

Maar toch...

Ineens vielen alle twijfels van hem af en begon z'n hart als een jubelend orgel in z'n oren te bonzen.

Ja hoor, 't was Frouke. Geen vergissing mogelijk.

Z'n keel snoerde dicht en de tranen drongen achter z'n ogen terwijl hij schor de naam van het dier riep.

„Frouke! Frouke!"

Het paard hief het hoofd even op, maar liet het meteen weer hangen.

154

Hij riep nogmaals en floot snerpend op z'n vingers, zoals Frouke dat van hem gewend was.

En jawel! Het paardenhoofd schoot omhoog en keek zijn richting uit. Het wilde over de omheining springen maar viel en kwam moeizaam overeind.

Nu was er bij Arnie geen houden meer aan.

Hij smeet z'n veel te warme jas in de berm, schopte z'n schoenen uit en terwijl de tranen hem over de wangen liepen, rende hij naar het paard en duwde z'n gezicht in de hals van het dier.

„Frouke…! Frouke!"

Dolgelukkig streelde hij het dier en veegde met z'n andere hand langs z'n ogen.

„Idioot, hè Frouke, dat ik daar nou zo van moet janken. Maar ik ben zo blij. Zó ontzettend blij, dat ik het je niet kan vertellen!"

Toen Arnie uitgejubeld was, bekeek hij het paard eens goed en zag dat het vol littekens zat. Sommige met etterige zwellingen.

„Allemachtig, Frouke, wat hebben ze met je uitgespookt. Welke ellendeling heeft dat op z'n geweten. Zo iemand zou ik wel eens…"

Arnie slikte alle lelijke woorden die hem te binnen schoten maar in en dacht na.

Frouke behoorde vast en zeker bij die boerderij en daar zou die ellendeling ook wel z'n onderdak hebben.

Zou-ie er naartoe gaan en die vent z'n huid vol schelden? Nee, dat zou niet verstandig zijn. Mensen die zulke dingen doen zijn meestal niet aanspreekbaar. Zij vinden mishandeling heel gewoon.

Misschien was het beter om eerst wat water te vragen, daarna de bewoners te complimenteren met hun mooie hoeve en dan terloops over Frouke te beginnen.

Kijken of er een mogelijkheid was om Frouke terug te kopen. Maar met wat? Hij had maar zevenendertig cent op zak. Trouwens, het was zondag, de dag des Heren en niemand waagde het dan om zaken te doen.

Toch maar proberen ook al kreeg hij dat misschien van iemand te horen dat-ie een ketter was en dat z'n ziel eeuwig zou branden in de hel omdat-ie de zondag niet heiligde…

Arnies gezicht stond gespannen toen-ie de klopper voor de tweede keer op de deur liet vallen.

Hij hoorde gestommel en even later werd de deur geopend door een slordig uitziende oudere man.

Hij nam Arnie met een mengeling van nieuwsgierigheid en achterdocht op en vroeg nors: „Wat moet je."

„Goedemiddag," antwoordde Arnie zo vriendelijk mogelijk en hield z'n veldfles omhoog.

„Ik zou graag wat water van u willen. Ik heb een lange tocht achter de rug en moet nog een eindje."

De man gaf geen antwoord maar wees naar de regenput. Arnie vulde z'n fles en liep naar de man terug.

„'t Is drukkend, hè," zei hij, „daar zou wel eens onweer van kunnen komen."

De ander antwoordde niet en hield z'n hand op. „Twee en een halve cent."

Arnie verschoot van kleur. „Voor dat beetje water?"

„Ja, water is kostbaar en ik krijg ook niks cadeau."

Arnie betaalde met tegenzin en opnieuw kwam er een lelijke opmerking op z'n tong. Maar ook die slikte hij in en zei poeslief: „Mooi boeltje heeft u hier. 't Ziet er allemaal prima uit, behalve het paard dat daar staat, maar dat is zeker niet van u."

„Om de donder wel," antwoordde de man en spoog z'n uitgekauwde pruimtabak naast Arnies sokken.

Arnie haalde z'n schouders op en zei onverschillig: „Dan is het zeker ziek."

„Ziek? Helemaal niet. 't Is een groot kreng waar ze me mee besodemieterd hebben."

„O, dat is niet zo leuk. Kunt u geen verhaal halen bij degene van wie u het gekocht hebt?"

„Nee, dat kan niet op een paardenmarkt. Gekocht is gekocht. Tweeenveertig gulden heb ik voor die luie rotzak betaald. En weet je wat ik ervan terugvang? Zeventien gulden. Zeventien gulden brengt de paardenslager morgen voor me mee. Heb je dan een strop of niet."

Arnie schrok zichtbaar van die woorden en dacht koortsachtig na. Hij was te laat. Frouke was verkocht voor de slacht.

156

Wat verschrikkelijk was dat. Maar… misschien was er nog een kansje.

„Zeventien gulden is wel wat weinig," zei hij beheerst en met een schuine blik op Frouke. „Er zit nog aardig wat vlees aan dat paard en ik weet zeker dat mijn oom er toch altijd nog twintig gulden voor gegeven zou hebben."

„O… Is die dan ook paardenslager?"

„Ja," loog Arnie weer, „en omdat ik vaak bij hem kom weet ik zo'n beetje zijn prijzen. Die slager van u is niet erg scheutig geweest."

„Nee, dat weet ik nu ook. Die vent heeft me bedonderd. Ik word altijd bedonderd. M'n leven lang al. Maar dit keer gaat het mooi niet door. Kun je die oom van je even langs sturen?"

„O nee, dat doet-ie niet op zondag, maar ik mag zijn zaakjes ook behartigen, hoor. Dat doe ik wel vaker voor hem."

„O, nou, ik vind het best. Twintig gulden, zei je?"

Arnie knikte en volgde de man die hem naar binnen gebaarde. Even richtte hij z'n blik op het plafond van de lange gang die hij door moest en prevelde onhoorbaar: „O Heer, laat het lukken."

Aan een tafel in de bedompte keuken mocht hij plaatsnemen terwijl de man een geldkistje tevoorschijn haalde.

„Je kunt meteen afrekenen en het paard meenemen," zei hij, „dan ben ik er maar vanaf."

„Dat kan helaas niet," moest Arnie tot zijn spijt zeggen. „Zoveel geld heb ik niet bij me."

De man keek hem vuil aan en z'n oogjes knepen samen toen hij zei: „Zit jij me nou ook nog te bedonderen?"

„Nee, echt niet," verdedigde Arnie zich in alle oprechtheid, „maar ik heb nooit veel geld bij me als ik op stap ga. Er loopt tegenwoordig heel wat gespuis rond, dat zult u ook wel weten."

„Hoe wil je het dan oplossen," vroeg de ander ongeduldig.

Arnie schoof op z'n stoel heen en weer en dacht snel na. Hij moest Frouke redden van die rotvent. En wel zo snel mogelijk, want als er straks iemand kwam die een kwartje meer bood, was Frouke verloren.

„Ik kan u vanavond het geld bezorgen," zei hij haastig, „maar dat wordt wel laat."

„Hoe laat?"

„Om een uur of tien ben ik bij u."

„O nee, dat wordt me te laat. Ik ga om negen uur naar bed en daar wijk ik voor niemand van af."

„Dan weet ik misschien een andere oplossing," zei Arnie, blij met zijn plotselinge ingeving. „Ik kan u mijn horloge als onderpand geven en dan morgen het geld brengen."

„Je horloge?" herhaalde de man smalend. „Dat moet dan nog al wat zijn wil daar een paard tegenover staan. Laat maar eens zien."

Arnie haalde het horloge uit z'n borstzak en legde het op tafel. „Dit is het," zei hij niet zonder trots. „Ik heb het van m'n vriend gekregen en die kreeg het van z'n grootvader toen hij twaalf werd. 't Is nog uit de vorige eeuw, kijk maar op de achterkant daar staat de datum gegraveerd." Met een hebberig gebaar graaide de man het horloge van tafel en bekeek het aandachtig, daarbij liet hij het horloge van de ene in de andere hand glijden en zei uiteindelijk: „Wat mij betreft hoef je niet terug te komen. 't Is zo ook betaald."

„O nee, dat kan niet," riep Arnie geschrokken, „ik wil het zelf houden!"

„Het scheelt je anders wel een eind lopen," vond de man. „Ja, daar hebt u gelijk in, maar het horloge heeft voor mij een bijzondere waarde en daarom wil ik het zelf houden," zei Arnie. De ander grijnsde minachtend en zei: „De mensen zijn vaak zo sentimenteel. Daar moet ik altijd een beetje om lachen. Ik hecht me nergens aan. Aan mens noch dier."

„Dat dacht ik al toen ik het paard zag," viel Arnie ineens uit, „u heeft het geslagen."

„Ja natuurlijk heb ik dat. 't Is bij een dier net als bij een vrouw: één keer in de zoveel dagen een pak op hun donder en je hebt er voor weken gemak van."

Arnie zweeg wijselijk. Hij had Frouke immers nog niet in handen. Er moest nu snel gehandeld worden en dan weg, weg met Frouke.

„Als u even een voorlopig contract maakt van deze onderhandeling," stelde Arnie voor, „dan kan ik voor het donker het paard nog bij m'n oom afleveren."

„Een contract? Waar is dat goed voor, vertrouw je me soms niet?"

Arnie glimlachte minzaam. „Zo te merken, doet u niet veel zaken. Een contract is iets heel gewoons hoor. U krijgt een bewijs dat ik uw paard heb, en ik dat u mijn horloge in onderpand hebt."

De man haalde z'n schouders op en spoog in een blikje. „Maak jij dat dan maar in orde, ik kan niet schrijven." Arnie deed het gevraagde en stond daarna op. „Zo, dat is dan rond. Dit is uw bewijs en dat het mijne. Even een krabbel van u onder het geschrevene, dan kan ik gaan. Maar ik moet wel uw naam weten, want dat hoort vermeld te staan op een contract."

„Van Ginneken," klonk het stug.

Nadat Van Ginneken een streep met een kruisje op het papier had gezet, liep hij naar buiten.

Arnie volgde hem en vroeg een emmer water om het paard te laten drinken.

Van Ginneken stemde na enige aarzeling toe en Frouke dronk de emmer in één keer leeg.

„Die heeft zeker lang niets gehad," kon Arnie niet nalaten te zeggen.

„Nee, natuurlijk niet. 't Is voor de dood bestemd en dan is alles wat je geeft weggegooid geld."

Arnies handen balden zich in z'n zakken, maar hij vroeg poeslief: „Heeft u een eindje touw voor me, dan kan ik haar onderweg in bedwang houden. Ze lijkt me nogal schichtig." Van Ginneken reikte hem het touw aan met de woorden: „Dat is dan dertig cent. Vijftien voor het water en vijftien voor het touw."

Arnie wierp hem een vernietigende blik toe en zei hatelijk: „U hebt toch meer verstand van zakendoen dan ik dacht." De man deed alsof hij het niet hoorde en bevestigde het horloge aan zijn vlekkerig vest.

Nadat Arnie de dertig cent had betaald, verliet hij met een zucht van verlichting het erf.

„Ik heb je, Frouke," zei hij toen hij uit het zicht van de boerderij was.

Met een gevoel of hij een koninkrijk veroverd had liep Arnie naast zijn paard en sprak het voortdurend toe.

„De tocht zal je zwaar vallen, Frouke, want je bent behoorlijk verzwakt. Maar in het wagenhuis zal ik een fijne hoek voor je maken met veel stro. En ik zal je voedsel geleidelijk opvoeren zodat je weer gauw de oude bent. Gelukkig heb ik van 't voorjaar haver gezaaid, zomaar uit gewoonte. Maar dat komt nu goed van pas. En je wonden moeten ook nodig verzorgd worden. En ik denk dat ik daarvoor naar Plaggemientje ga, want geld voor de veearts is er niet. Maar Plaggemientje zal er vast wel iets goeds voor hebben.

Ze zal wel opkijken als ik kom, want ik heb haar een beetje verwaarloosd de laatste maanden. Ik had er stomweg de tijd niet voor. Maar dat zal nu veranderen, want naar Mijntje hoef ik voorlopig niet meer te gaan, die heeft voor me bedankt.

Hoe vind jij dat nou, Frouke? Dat kreeg ik zomaar even van de ene op de andere minuut te horen en dat is een klap voor me. Een hele harde klap, Frouke. En jij weet wat klappen zijn. Jij kreeg ze op je lijf en ik op m'n ziel. Maar ze doen allebei pijn. En ondanks dat is er toch een vleugje blijheid in m'n hart, want ik heb jou terug en jij bent ook een deel van mijn leven. Jij bent een stukje van vroeger toen de Leeuwerikhoeve nog bruiste van het goede leven.

Zo zie je maar hoe vreemd het leven kan gaan, want wat er ook misging, één ding wist ik altijd zeker: tussen Mijntje en mij kan nooit iemand komen. Wij vormden een geheel. En nu, sinds vanmiddag: pats... boem... alles weggevaagd. Alles, Frouke. Na vijf minuten stond ik weer buiten. Een beetje verdoofd, waardoor m'n benen niet zo meewilden en ik even onder een boom ging liggen.

En wie vind ik daar? Jou, en wie had dat nou durven dromen. Ik niet, maar ik heb je en niemand neemt jou meer van mij af..."

Zo praatte Arnie maar door en man en paard genoten zichtbaar van elkaars gezelschap en hadden geen oog voor de donkere wolken waarachter de zon al enige tijd schuil was gegaan.

Maar uit de donkere wolken kwam ineens een hevige plensbui en pas toen ontdekte Arnie dat z'n jasje en schoenen nog in de berm lagen.

Hij bleef even staan omdat Frouke dat ook deed en hij hief zijn armen baldadig naar de hemel en riep: „Toe maar, laat maar vallen! Spoel alles maar weg! M'n tranen, m'n zweet, m'n jasje, m'n schoenen, alles kan weg! Ze doen geen enkele dienst meer! Eindelijk lijk ik weer op wie ik ben: een onbelangrijk boertje met werkhanden en vuile nagels, met ongestreken bloes waaraan knoopjes ontbreken en sokken met gaten! Maar dat zal niemand meer deren, mij nog het minst want ik ben wie ik ben en niet wat ik draag! O ja, wat ik ook nog tegen U zeggen wil: bedankt voor het paard...!"

HOOFDSTUK 10

Doornat maar verkwikt door de verfrissende regenbui, kwamen man en paard thuis, waar Arnie direct begon aan het spreiden van stro in een hoek van het wagenhuis.

Hij droogde Frouke af, gaf haar water en begaf zich naar het weiland waar de paarden van de Leeuwerikhoeve gewoonlijk bivakkeerden bij goed weer.

Hij prees zich gelukkig dat hij een week eerder toch nog de tijd had gevonden om het weiland te maaien. Er was nu in elk geval genoeg hooi voor Frouke.

Voor de haver moest ze echter wachten tot de oogst, maar misschien wilde de graanhandelaar hem wat krediet geven tot september. Net als de bakker, de slager en de olieman, want als Frouke betaald was, waren de centen op. Ook was er nog een mogelijkheid om z'n jasje en schoenen te verkopen aan de voddenboer.

't Was te proberen, als de regen er niet te veel aan had vernield.

De kleding was al bijna aan Arnies lijf opgedroogd, toen hij eindelijk de tijd kreeg iets anders aan te trekken en de kachel te stoken voor het avondeten.

Hij had het druk, ook in z'n hoofd, waar z'n gedachten wanordelijk doorheen joegen. Allerlei feiten drongen zich in een snel tempo aan hem op en riepen alle om een antwoord: Zou die akelige kerel het horloge teruggeven? Zou Mijntje nog schrijven of was het een totale breuk tussen hen?

Zou het nog zin hebben het spaarbusje te zoeken nu de werklieden al een week aan het puinruimen waren?

Als er maar geen slagregens kwamen nu het koren zo zwaar in de aren stond. En met wie moest hij de oogst binnenhalen? 't Was haast ondoenlijk om het alleen te klaren. Zou het niet beter zijn om het alsnog op de halm te verkopen?

Arnie greep naar z'n hoofd omdat de muren ineens om hem heen draaiden en de geur van het smeltende vet hem misselijk maakte ondanks z'n lege maag.

Hij liet zich in de stoel vallen en woelde verward door z'n haar. Wat mankeerde hem zo plotseling, werd-ie ziek?

Nee, dat kon niet, daar was z'n lichaam immers te krachtig voor, dat had-ie vanmiddag nog gevoeld toen Frouke naast hem liep en hem zo nu en dan besnuffelde. Op dat moment had-ie zich heel sterk gevoeld en dat mocht iedereen zien. Iedereen mocht horen dat niets hem uit het roer kon brengen. Widde niet. De brand niet. Mijntje niet. Niemand niet. Hij kon alles aan. Hij was als het riet: buigen, maar niet breken.

En nu? Nu draaiden de muren en knikten z'n knieën. Wat had dat te betekenen? Was hij dan toch een zwakke broeder, een oud wijf, zoals Widde hem wel eens smalend noemde? Arnie vulde z'n bord en nam met tegenzin een paar happen, daarna schoof hij het bord weg en zocht z'n slaapplaats op.

Hij woelde lang en pas toen het wagenhuis zich had gevuld met de vertrouwde geur van een paard, viel hij in slaap.

Bij het wakker worden, de volgende ochtend, voelde hij zich nog verre van fit maar het snuiven en schrapen van Frouke vervulde hem met vreugde en spoorde hem aan tot meer spoed.

Hij verzorgde het paard en zichzelf en opende de staldeuren. De geur van de ochtenddauw en het geluid van de kabbelende beek stroomden binnen en maakten Frouke nog onrustiger. Ze schraapte en snoof nog luider en volgde Arnie bij al z'n bewegingen.

„Nee Frouke, je mag nog niet in de wei, je eet dan meer dan goed voor je is en dat moeten we vermijden. Nog een paar dagen geduld. Als je wonden snel genezen zodat de vliegen er geen kwaad meer op kunnen doen, mag je weer mee. En gedraag je netjes want ik moet je enige uren alleen laten om m'n onderpand op te halen."

Toen Arnie op het terrein van boer Van Ginneken was aangekomen, zocht hij in de berm naar zijn jasje en schoenen. Er was niets te vinden, maar met de gedachte dat de boer de spullen wel gevonden zou hebben, stapte hij naar de boerderij en liet de klopper op de deur vallen.

Pas na de vierde keer werd de deur langzaam geopend en zei van Ginneken onvriendelijk: „Ik had niet zo'n zin om open te doen, het horloge bevalt mij best."

„Dat zal wel," antwoordde Arnie, „maar het vervelende voor u is, dat het mij ook bevalt. Daarom lijkt het mij het beste dat u zo'n zelfde horloge koopt."

Van Ginneken lachte rauw met bruine tanden. „Waarom zou ik, 'k heb er toch een?"

„Ja, maar die is van mij en ik kom het tegen betaling van twintig gulden terughalen."

Er klonk irritatie in Arnies stem en dat was de ander niet ontgaan.

„Je bent gauw op de kast te jagen, hè?" grijnslachte deze.

Arnies kin schoot naar voren. „Ik kom een overeenkomst afhandelen," zei hij strenger dan hij wist, „en heb geen tijd voor uw grapjes."

Van Ginneken gaf geen antwoord en keek Arnie smalend aan terwijl z'n vingers treiterig langzaam de sluiting van het horloge losmaakten van z'n vest.

Toen dat eindelijk gebeurd was, smeet hij het horloge op de grond, zette z'n voet erop en zei op bevelende toon: „Gelijk oversteken!"

Geschrokken en kwaad over de ruwe behandeling van zijn kostbaar kleinood, haalde Arnie haastig het geldbuideltje tevoorschijn en reikte het over.

„Pak jouw spul maar!" snauwde Van Ginneken en lichtte z'n voet enigszins op.

Het horloge met gebarsten glas werd zichtbaar en Arnie graaide het snel weg.

Getergd kwam hij overeind en greep Van Ginneken bij de schouders. „U draagt mijn schoenen!" beet hij hem toe. De man rukte zich echter los met een kracht die Arnie niet bij hem verwacht had en eer hij nog iets kon zeggen, werd de deur voor z'n neus dichtgegooid en hoorde hij de grendels schuiven.

Met een mond vol scheldwoorden aan het adres van Van Ginneken, kwam Arnie thuis en keek gewoontegetrouw onder het kistje dat naast de deur stond en waar hij het woord 'post' op had gekalkt. Er lag zowaar een brief waardoor z'n ergernis zakte en z'n hart sneller ging kloppen.

Zou Mijntje dan toch nog aan hem denken? Nee, zo snel kon dat niet. Trouwens, de enveloppe had het briefhoofd van de heer Buwalda. Teleurgesteld gooide hij de brief op tafel en ging bij Frouke staan. „Dat is nou de laatste van wie ik gehoopt had post te ontvangen, Frouke. En ik zal hem pas lezen zodra ik daar de tijd voor vind, want de man kennende zal er niet veel goeds in staan. Misschien moeten we hier wel eerder weg omdat meneer een grotere hoeve wil bouwen. Eentje waarmee hij alle kapitaalkrachtigen uit de provincie de ogen kan uitsteken. Want zo is-ie.

Pronken, pronken en nog eens pronken en als-ie doodgaat draagt-ie hetzelfde als ik: een wit doodskleed met als enig verschil dat er bij hem Brussels kant aan zit. Is dat niet om te lachen, Frouke? En is het niet geweldig groots van God dat rijken ook doodgaan?

Iedereen kunnen ze kopen. Iedereen kunnen ze naar hun hand zetten, maar de dood niet en dat is dan ook rechtvaardigheid Gods…"

Pas toen hij tegen noentijd zijn brood at, nam hij de moeite om de brief te openen en las:

Geachte heer Ovink,
Wegens ernstige ziekte is de plaats van voorman/knecht op de Arendhoeve onverwachts vrijgekomen.
Gezien de netelige situatie waarin u thans verkeert, lijkt het ons billijk u als eerste de keus te laten voor deze betrekking boven de andere kandidaten.
Uw weekloon zal drieguldenvijfenzeventig bedragen boven kost en inwoning.
Voor een nader gesprek verwachten wij u woensdagochtend aanstaande tussen tien en elf uur op de Havikhoeve, Olmendreef 3 te Wensum.
Ingeval u die dag verhinderd bent of niet wenst in te gaan op het door ons gebodene, verzoeken wij u ons hiervan tijdig te berichten.
Hoogachtend,
G.L. Buwalda van Larikxhoven.

Met de brief nog in z'n handen staarde Arnie voor zich uit en er was een diepe rimpel tussen z'n ogen.

't Was geen slecht aanbod dat hem gedaan werd. Zeker het loon niet. Er waren knechten die maar één gulden meer verdienden en daar nog kost en inwoning van moesten betalen. Maar ja... hoe was de kost en inwoning daar? Was de man onder wiens leiding hij kwam te staan een beetje schappelijk?

Veel zetboeren verbeeldden zich nog meer dan de eigenaar van hun hoeve. Dachten dat ze blauw bloed hadden.

En dan die akelige rentmeester en z'n baas Buwalda, twee gladde jongens bij elkaar. En daar moest-ie heen als-ie toehapte.

En deed-ie dat? Moest-ie die kans grijpen en zich verhuren als knecht?

De gedachte eraan was miserabel. Maar gebeuren moest het toch. Als het nu niet was dan toch wel in oktober.

En het verschil was, dat-ie het nu aangeboden kreeg en over twee maanden met zichzelf moest leuren.

Tjonge, wat kon een brief veel teweegbrengen. Alles stond ineens op z'n kop want nu moest-ie beslissen. Vandaag nog een brief schrijven dat-ie geen gebruik maakte van het aanbod, of... woensdag op pad naar Wensum.

Kon-ie het maar met iemand bespreken. Even van gedachten wisselen over het voor en tegen ervan.

Ook moest-ie informeren hoe het met de graan- en aardappelprijzen stond, want alles moest in één koop weg en dan moest-ie toch met een vraagprijs komen.

't Zou wel een hoop kopzorgen schelen. In één klap alle slapeloze uren van de baan. Niet meer piekeren over het binnenhalen van de oogst zonder hulp, want een dagloner op krediet was nergens te vinden. Die mensen leefden van dag tot dag en konden van hun schamel loon geen cent wegleggen.

Nee, dat aanbod van Buwalda was zo slecht nog niet. 't Was de eerste keer dat hij zich een beetje mens toonde. Of zat er een addertje onder het gras?

Nou ja, in dat geval zou-ie Buwalda wel laten merken dat-ie niet op z'n achterhoofd gevallen was.

Maar nu niet langer treuzelen. Eerst naar Plaggemientje om een smeersel voor Frouke en misschien was het wel verstandig om dan de brief mee te nemen, want Plaggemientje was een wijze vrouw die het beste met hem voorhad.

Maar Plaggemientje zei niet veel en veegde voortdurend met haar schort langs haar ogen.

„'k Ben blij dat je d'r bent," huilde ze. „Ik wist waarom je niet kwam en toch keek ik elke dag naar je uit. Dat komt omdat het niet zo goed met me gaat."

„Bent u ziek!?" vroeg Arnie geschrokken

„Nou, zo zwaar wil ik het niet noemen, maar ik word steeds vaker duizelig, daardoor val ik en ben dan helemaal van de kaart."

„En dat noemt u niet ziek?!" riep Arnie ontdaan. „Ik ga een dokter voor u halen, want zo kan het niet doorgaan met u. U hebt verzorging nodig. Iemand die de hele dag om u heen is, of misschien kan u wel naar het besjeshuis in Bargveen…"

Plaggemientje hief haar handen ten hemel. „O lieve jongen, bespaar me dat. Ik wil hier niet weg en ik wil ook geen dokters. Ik ben m'n eigen dokter en weet ook wat ik mankeer: Plaggemientje is drieëntachtig, Plaggemientje is op en versleten en wil in dit huisje sterven. Alleen hier en nergens anders, wil je dat goed onthouden, jongen? Niemand mag me hier weghalen. Niemand. Want hier stierf m'n Bauwke, hier op deze plek."

Plaggemientje wees naar de vloer voor haar voeten. „Hier stierf hij en hier wil ik ook sterven."

„Was Bauwke een huisdier van u?" informeerde Arnie voorzichtig.

Het oudje schudde haar hoofd en leek ineens verlegen toen ze zei: „Nee, Bauwke was m'n geliefde. De enige liefde in mijn leven, maar… hij wist het niet. Pas toen hij stervende was heb ik het in z'n oor gefluisterd. 't Was een vreselijk moment voor me. Of m'n hart uit m'n lijf werd gehaald. En toen hij z'n laatste adem uitblies, was het of ook bij mij het leven uit me wegliep." Plaggemientje sloeg haar handen voor haar gezicht en schreide onhoorbaar.

„'k Heb er nooit met iemand over gesproken," vervolgde ze na enige tijd, „maar jij moet het weten, aan jou wil ik het kwijt. En weet je waarom? Je lijkt op Bauwke. Je had een zoon van mij en Bauwke kunnen zijn. Toen ik je voor het eerst zag dacht ik: Dit is m'n zoon, ook al ben ik z'n moeder niet. Waar een mens al niet gelukkig mee kan zijn, hè?"

Plaggemientje glimlachte door haar tranen heen en keek haar gast aan alsof ze een antwoord verwachtte. Maar Arnie zweeg. Bleek en ontdaan door Plaggemientjes verdriet.

Waarom vertelde ze hem dit alles, was zijn verdriet misschien van zijn gezicht te lezen? Had de blik in z'n ogen hem verraden en wilde ze hem op deze manier troosten?

„Het zal zo'n vijfenveertig jaar geleden zijn," verbrak Plaggemientje de stilte, „dat Bauwke hier voor het eerst binnenkwam. Hij was jachtopziener en klopte op een avond in december op m'n deur. Toen ik opendeed en de lamp omhoog hield, zag ik het meteen: hij was gewond want z'n jasje zat vol bloed.

Ik vroeg hem niets, liet hem binnen en deed zijn bovenkleding uit. Algauw hoorde ik van hem wat er gaande was.

Hij had achter een paar stropers aangezeten en toen die zich in het nauw gedreven voelden, hadden ze op hem geschoten en ik zag dat er op verschillende plaatsen loden korrels in z'n borst en armen zaten.

Die kon ik er niet uithalen, dat was dokterswerk. Maar ik heb een kussensloop aan repen gescheurd en hem zo goed mogelijk verbonden om verder bloedverlies te voorkomen.

Hij was me heel dankbaar en kwam een paar dagen later terug met z'n arm in een doek en een heerlijke krentenmik.

We hebben gezellig koffiegedronken, krentenmik gegeten en hij vertelde over het avontuurlijke van zijn beroep en de vrijheid die hij voelde als hij door bos en heide dwaalde.

Nadat hij me vroeg waarom ik mezelf zo afzonderde, vertelde ik hem dat ik uit Brabant was gevlucht voor mijn drankzuchtige en gewelddadige vader, voor wie ik, na de dood van mijn moeder, twintig jaar had gezorgd.

Bauwke prees mijn huisje dat ik, met alles wat ik vond, zelf had gebouwd en hij gaf me raad inzake het vinden van eetbare paddenstoelen, tamme kastanjes en allerlei kruiden.

Ik was toen achtendertig en schatte hem jaren jonger, maar

weten doe ik het niet, daar spraken we nooit over.

Ik zeg nooit, omdat hij mij regelmatig bleef bezoeken en dan altijd sprak over het interessante en boeiende van zijn beroep. Na enige tijd ontdekte ik dat hij mijn leven veranderde. Er was een gevoel in me gekropen dat ik niet kende, maar nu liefde noem.

Hij beheerste ongewild mijn dagen en ik deed alle moeite om hem te zien. Als ik hem maar even zag was het goed, dan was ik gelukkig en leefde in m'n dagdromen met hem verder. Meer hoefde ook niet.

Alles wat erbij kwam zou alleen maar vernietigend werken en niets mocht mijn ideaal verstoren. En zo verstreken de jaren. Hij kwam zo nu en dan koffiedrinken en praatte dan, ik keek naar hem en fantaseerde. M'n geluk kon niet op, tot die ene dag, toevallig ook in december.

Ik had hem al weken niet gezien maar wist dat december een drukke maand voor hem was. En toen helemaal, want de winter was vroeg ingevallen en nog streng ook, dus gunstig voor de stropers. De dieren waren door hun sporen in de sneeuw snel te vinden en de honger maakte hen vrijpostig.

Op die avond maakte ik aanstalten om naar bed te gaan en had mijn nachtgoed al aan toen ik van heel dichtbij geweerschoten hoorde. Ik sprong op en een gevoel van angst overviel me. Waarom, dat weet ik niet want er klonken wel vaker schoten in de nacht.

Maar dit keer beleefde ik het heel anders.

Ik gooide m'n cape om en ging met knikkende knieën naar buiten. In m'n haast vergat ik de lamp, maar de sneeuw verlichtte de omgeving enigszins en ik liep op mijn gevoel in de richting van de schoten.

Ik heb gelopen en gezocht. Overal zocht ik tussen bomen en struiken, maar ik kon niets en niemand vinden. Uiteindelijk ging ik terug naar huis met de gedachte dat ik me druk had gemaakt om niets, toen ik ineens donkere plekken in de sneeuw zag.

Ik volgde het spoor dat tot dicht bij m'n huisje liep en ineens zag ik hem, mijn Bauwke. Lieve God, ik zie hem nog voor me. Half onderuitgezakt hing hij tegen een boom. Z'n mond bewoog, maar zei niets verstaanbaars en z'n ogen hadden een glans die ik er nooit eerder in had gezien.

Ik sleepte hem m'n huisje binnen en merkte dat m'n handen nat en kleverig werden.

Eenmaal binnen, zakte de moed me in de schoenen. Z'n jasje was doorweekt van het bloed en z'n ademhaling ging steeds sneller.

Ik haastte me met het uitdoen van zijn jasje, scheurde z'n bloes open en zag meteen dat het verloren was. Het bloed liep uit verschillende wonden die ik volpropte met alles wat ik voorhanden had. Maar niets hielp. Z'n adem stokte. En terwijl het leven uit hem wegvloeide, kuste ik hem voor het eerst en bekende hem wat hij voor me betekend had en hoe rijk hij m'n leven had gevuld.

Z'n laatste zucht ging me door merg en been en is me altijd bijgebleven.

Urenlang zat ik op de grond met Bauwke in m'n armen, want het was voor het eerst dat ik hem zo dicht bij me had en hem kon strelen en bekijken.

Hij was prachtig om te zien en het enige bittere wat ik eraan heb overgehouden is mijn haat tegen stropers. Een diepe haat die door de jaren heen niet is afgenomen en die me het vredig sterven belet. Want haat, m'n jongen, houdt het goede in de mens tegen. Erger nog, het kan een mens vernietigen. Onthou dat, jongen. Misschien kun je mettertijd lering trekken uit Mientjes grootste fout.

Ik gun jou niet het dodelijke gevoel van de haat, daarom vertel ik je dit alles. Jij alleen mag dit weten omdat jij een stukje van mij bent. Zo voel ik dat en hoewel ik niets van waarde bezit, zou ik het fijn vinden als je iets van mij met je meeneemt als je huiswaarts keert."

„Maar ik wil helemaal niets!" riep Arnie uit. „U bent er toch nog en u blijft toch nog een poosje?"

Plaggemientje schudde haar hoofd. „Ik weet meer dan jij, dus zoek iets uit waarmee je later terug kunt kijken op onze prettige uurtjes."

Arnie hoorde de dwang in haar stem en begreep dat tegenspreken weinig zin had. Ondanks dat voelde hij zich opgelaten

170

over het verzoek en keek dan ook wat gedwongen om zich heen.

Z'n blik bleef rusten op de uil en hij informeerde voorzichtig: „Die wilt u zeker zelf houden."

„Nee, natuurlijk niet, jongen, ik ben blij dat je hem wilt. Ik hoopte in stilte dat je hem zou kiezen. Zie je wel dat we verwant zijn?"

Met een gelukkig gezicht reikte ze Arnie de uil aan en genoot van zijn bewonderende blikken.

„Hij is prachtig," vond Arnie, „en ik ben er heel blij mee. Jaren geleden heb ik er eens een van heel dichtbij gezien. Dat was in de tijd dat ik nog wel eens aan houtsnijden deed. Ik zocht in het bos naar een geschikt stuk hout en trof het dier slapende aan. Ze zijn prachtig."

„Dat vind ik ook," beaamde Plaggemientje. „Deze vond ik dood in het bos. Hij had een schot hagel in z'n borst. Als je de veren voorzichtig optilt, kun je de littekens nog goed zien… Ook door die rot… nou ja, laat ik maar zwijgen. Ik heb hem weer mooi hersteld, maar het leven kon ik hem niet teruggeven. Wel de eer die hij verdiende. Prof heb ik hem genoemd en veel aanspraak aan hem gehad. Ik hoop dat hij je geluk brengt…"

Ze liepen samen naar de deur en Arnie had moeite met het weggaan.

„Doet u voorzichtig?" vroeg hij bezorgd. „Ik kom zo gauw mogelijk terug. Maar er hangen wat veranderingen in de lucht, dus kan ik nog niet zeggen wanneer we elkaar weer zien."

„Ik weet het jongen, je gaat tien kilometer noordelijker je geluk proberen te vinden."

Arnie schudde z'n hoofd. „Dit zal ik nooit van u begrijpen," zei hij.

„Hoeft ook niet," glimlachte het vrouwtje en liep even terug naar binnen.

„Hier," zei ze, „dat was je bijna vergeten. Tweemaal daags de wonden van je paard insmeren en je zult zien dat ze na een week verdwenen zijn. Vergeef me dat ik je zo weinig aan het woord heb gelaten, maar ik had haast, begrijp je?"

Arnie knikte en liet de hand van Plaggemientje met tegenzin

los. Toen hij voor de tweede keer wuifde, wenkte ze hem terug. „Ik vergeet nog iets," zei ze gejaagd. „Bauwke ligt op het kerkhof van Oud-Eijkelaer en daar zou ik ook willen liggen. 't Zal wel in de armenhoek zijn want geld voor een andere plek heb ik niet en dat geeft ook niet. Ik ben bij hem in de buurt en dat is mijn grootste wens."

Arnie knikte bewogen en keerde diep onder de indruk huiswaarts.

Op een hellend gedeelte van het zandpad bleef hij staan, een gewoonte die hij zich van kindsbeen af al eigen had gemaakt. Want vanaf deze plek was het dak van Plaggemientjes huisje nog net te zien en maakten hij en Mijntje zich de meest dwaze voorstellingen van het huisje en de bewoonster. Ook lachten ze vaak om het vreemde dak beladen met plaggen, waaraan Plaggemientje ook haar naam te danken had.

Ze mochten er als kind niet naar toe. Zelfs niet in de buurt komen, want Plaggemientje hield zich op met boze geesten en praatte tegen dooie dieren.

Plaggemientje was gevaarlijk en lokte je naar het moeras. Hoe anders was de werkelijkheid, peinsde Arnie met een bedroefd gevoel.

Plaggemientje was een goed en vroom vrouwtje met een hart van goud. Maar met dat verhaal hoefde hij bij de buurtbewoners niet aan te komen en dat hoefde ook niet. Plaggemientje was een stukje van hem en dat zou zo blijven, ook als ze niet meer op deze aarde was. Maar daar moest ze nog maar even mee wachten, want als Plaggemientje wegviel, was er toch een stukje thuis verloren gegaan. Weer een warm hart minder.

De woensdagochtend daarop liep hij op het toegangspad van de Havikhoeve, een kapitaal gebouw met een schitterend aangelegde tuin rondom.

Het kunstig gevlochten rieten dak trok z'n aandacht, maar ook de grote vijver met goudkarpers en het beeld dat als fontein diende.

Ongewild maakte het geheel toch een diepe indruk op hem waardoor hij snel z'n haar in model streek en een keurende blik over z'n kleding liet gaan.

Hij plukte een paar pluisjes van z'n broek, die hij twee dagen en nachten onder het stro van z'n slaapplaats had gelegd om de kreukels te laten verdwijnen.

Hoewel hij wist dat mensen van zijn afkomst nooit door de voordeur van dit soort huizen werden binnengelaten, kon hij het kleine duiveltje in hem niet weerstaan en liet met ingehouden genoegen de dure koperen klopper op de deur vallen. Bij de derde keer hoorde hij Buwalda in de vestibule foeteren op zijn huishoudster die volgens hem stokdoof was. Toen hij uiteindelijk zelf de deur opende en Arnie zag staan, kwam er een hooghartige trek op zijn gezicht en zei hij geërgerd: „Werkvolk achterom!"

Arnie gehoorzaamde niet onmiddellijk maar keek Buwalda quasiverbaasd aan: „Waarom eigenlijk?" vroeg hij. „Zonder werkvolk bent u nergens. U zou de rode loper voor ze uit moeten leggen."

Buwalda leek boos te worden en wees met een driftig gebaar naar de zijkant van zijn villa. „Achterom!" herhaalde hij.

Met enig vermaak begaf Arnie zich naar de zijingang en begreep zelf niet goed waarom Buwalda altijd enige irritatie bij hem opriep. De dominee en de dokter behoorden ook bij de gegoede klasse, maar bij hen gedroeg hij zich altijd zoals het hem was voorgehouden. Waarom bij Buwalda dan niet? Per slot had-ie hem een goed aanbod gedaan. Het hem ook gegund, dat bleek wel uit de brief. En toch had de man op hem de uitwerking van de rode lap op een stier…

De huishoudster, een al wat oudere vrouw met een sloffende tred, ging hem voor en bracht hem naar een vertrek dat ze als vergaderkamer betitelde.

Ze wees zonder te spreken naar een van de vele stoelen rond een grote tafel die midden in de kamer stond en gebaarde hem te gaan zitten.

Mopperend veegde ze wat as van het tafelkleed en vertrok met de boodschap dat meneer zo kwam.

Maar dat bleek niet het geval te zijn en Arnie begreep waarom. „De zoete wraak," glimlachte hij voor zich uit en bewonderde de vele portretten aan de wand.

Het waren stuk voor stuk kunstwerken maar één ervan trok

hem als een magneet aan. 't Was een portret van een jonge vrouw met een mooigevormd gezicht waaruit grote melancholieke ogen hem aankeken. Vanonder haar kanten muts hingen enkele donkere lokken langs haar slapen en haar volle mond had een weemoedige trek.

Steeds weer trok zijn blik ernaar toe en op den duur leek het hem of de mond bewoog en hem iets toefluisterde.

Kwam het door de stilte in het vertrek of was het de schuld van het portret dat de weemoed hem overviel?

Hij was er zozeer mee bezig, dat hij niet bemerkte dat Buwalda binnenkwam en plaatsnam aan het hoofd van de tafel.

„Ik neem aan," sprak hij op afgemeten toon, „dat je ingaat op ons aanbod en ik heb slechts tien minuten om deze zaak te bespreken."

Hij legde zijn zakhorloge op tafel en keek Arnie met een dwingende blik aan: „Over je taken op de Arendhoeve hoef ik niets te zeggen," vervolgde hij, „die hoor je daar wel en om misverstanden te voorkomen: je werktijden zijn van 's morgens vijf tot 's avonds zes en van maandag tot en met zaterdag. Tijdens de oogst wordt er meer van je verwacht, maar dat zul je wel snappen. Verder wordt er absolute gehoorzaamheid van je geëist en het maken van trammelant wordt afgestraft met ontslag. Mijn rentmeester komt zo nu en dan poolshoogte nemen om te horen hoe het reilt en zeilt want Schaafsma, zo heet die zetboer, laat nog wel eens over zich heen walsen en dat staan wij niet toe. Schaafsma is verantwoordelijk voor mijn eigendommen en is daardoor de man die de lakens uitdeelt. Als je het daar niet mee eens bent moet je het nu zeggen, dan gaan wij op zoek naar een ander."

„'t Is akkoord," antwoordde Arnie die niet veel puf had in een lang betoog over verplichtingen.

„Wanneer word ik op de hoeve verwacht?" vroeg hij.

„Morgenochtend om tien uur," luidde het antwoord.

„Kan dat niet een dag verschoven worden?" vroeg Arnie weer. „Ik moet nog een paar zaken afhandelen."

De ogen van Buwalda lichtten op: „Ah, ik begrijp het, je moet natuurlijk van je producten af en gaat op zoek naar kopers.

Nou, die zaak kun je ook met mij afhandelen hoor. Ik bied je ongezien driehonderd gulden voor de hele handel."
„Driehonderd gulden?!" riep Arnie uit. „Hoe haalt u het in uw hoofd. 't Is zeker het dubbele waard!"
Buwalda glimlachte smalend en trok een paar keer stevig aan z'n sigaar. „Kom kom, jongeman, nu overdrijf je wel een beetje. Driehonderd gulden is goed betaald, vooral als je bedenkt dat het nog een week of langer duurt eer er geoogst kan worden en dat er in die tijd nog van alles kan misgaan. Eén slagregen en het graan ligt plat, gaat kiemen en is verloren. In je jeugdige overmoed sta je daar wellicht niet bij stil, maar dat soort dingen gebeuren wél."
„Vijfhonderdvijftig," zei Arnie die met opzet hoog had ingezet.
„Driehonderdvijftig," luidde het antwoord van Buwalda.
En zo gingen de mannen nog enige tijd door. Beiden onverzettelijk, beiden met weinig respect voor de ander en de tien minuten waren al.ang overschreden toen Arnie halsstarrig op vierhonderdvijfenzeventig bleef staan en Buwalda op vierhonderd.
Omdat verder onderhandelen hem zinloos leek, schoof Arnie z'n stoel achteruit en stond op: „Vrijdagochtend tien uur meld ik me op de Arendhoeve," zei hij.
„Ieder de helft van het verschil," was het antwoord van Buwalda die met een nijdig gebaar zijn sigaar uitdrukte. Arnie kneedde z'n kin alsof hij diep moest nadenken, maar er kwam een triomfgevoel in hem boven want noodgedwongen moestie z'n producten van de hand doen en de laatste kandidaat had deze man moeten zijn, maar nu het daar toch op uitliep moest het tot de laatste korrel worden betaald. En dat werd het met dit bod. 't Was zelfs boven hetgeen hij verwacht had…
„Laten we het daar maar op houden," zei hij uiteindelijk en met een gebaar alsof de instemming hem moeite kostte.

Toen hij de Havikhoeve achter zich liet, voelde hij glunderend aan de geldbuidel in z'n broekzak en wist niet dat Buwalda hem met argusogen nakeek.
Bah, wat een rotjoch was dat en wat stom dat-ie zich door dat joch op de knieën had laten brengen. Nooit eerder was hem

zoiets overkomen en daarom mocht de rentmeester hier ook niets van weten.

Buwalda keerde zich van het raam af en wreef z'n pijnlijke jichtknobbels.

't Leek wel of kwaadheid de pijn verergerde, meende hij. Voor de spiegel in de vestibule bleef hij staan en bekeek zichzelf aandachtig. Waarom had-ie dat joch dat baantje gegund terwijl er tientallen anderen voor in de rij stonden? En waarom had-ie diep in z'n hart toch een zwak voor dat stuk ellende? Kwam het door z'n verschijning die zo verschilde van die andere knechten, of was het de manier waarop-ie zich gedroeg? Want drukte had dat baasje genoeg en kapsones ook. De manier waarop-ie keek toen de voordeur geopend werd. Één en al uitdaging, terwijl-ie donders goed wist welke deur voor hem bestemd was. En dan die opmerking. Een anarchist was het. Eentje op wie de rentmeester goed moest letten, want zulke verrekkelingen konden veel onrust zaaien bij de dagloners.

En ondanks dat ben je toch voor dat joch gezwicht, George. Tweemaal zelfs. Eén keer voor z'n baantje en één keer voor z'n bod. Ben je nou zo stom of te goedig, of komt het omdat je in dat joch een stukje van jezelf terugziet? Ja George, wees maar eerlijk. Iets in die jongen trekt je aan. Zelfs het strijdbare waarmee hij je aankijkt en tegenspreekt.

Hij heeft lef, George, ook al zie je dat niet graag bij werkvolk.

Buwalda wendde z'n blik van de spiegel af en liep met voorzichtige pasjes de zitkamer binnen waar hij zich met veel gekreun in een stoel liet zakken.

Hij stak een sigaar op en keek afwezig naar buiten. Als dat joch eens een mooi gesneden pak aanhad, rijlaarzen met zilveren gespen en een echte zijden sjaal om z'n hals, nou, dan zou je ervan staan te kijken, George. Dan zou-ie er een van jou kunnen zijn. Vooral als-ie op een hoog zwart paard zat, zoals die laatst gekochte merrie met die koninklijke houding en die golvende manen en staart. Die twee samen zouden een prachtig schilderij vormen en je relaties zouden je prijzen om het visitekaartje die je kleinzoon had kunnen heten.

Maar dat zijn allemaal dromerijen, George. De werkelijkheid ligt heel anders. Je zou zelfs geen schilderij van die twee kunnen laten maken, want dat joch was heus niet gek en zou het paard direct herkennen. En al was het dan een eerlijke koop geweest, die knaap kennende zou-ie er zeker aanmerkingen over maken of zelfs kwaad worden en daar zit je nou ook weer niet op te wachten. Je hebt het al moeilijk genoeg sinds je dat joch in het wagenhuis hebt zien scharrelen. Want je wordt oud, George, het eelt van je zakenhart lijkt te slijten en dan moet je ophouden met je trucjes. Ze gaan je 's nachts wakker houden waardoor er nare beelden verschijnen en het verleden ook weer komt opdoemen en om dat te voorkomen, moet je je eens wat vaker onder de mensen begeven. Bezoek zo nu en dan eens een van je zetboeren en maak een gezellig praatje met ze. Toon je belangstelling voor hun lief en leed, zodat ze je ook eens van een andere kant zien. Doe het nu het nog kan want je bent drieënzeventig en het lopen gaat steeds slechter...

Buwalda mijmerde nog toen Arnie al thuis was en bezig was de wonden van Frouke in te smeren.
„Onze laatste dag hier, Frouke," sprak hij. „Een hele ver-andering, ook voor jou want je bent hier geboren. Ik niet, maar ik heb hier wel m'n hele leven rondgezwalkt en dan valt zo'n afscheid niet mee. Maar ik heb jou bij me als herinnering aan de Leeuwerikhoeve en als jij niet welkom bent hoeven ze op mij ook niet te rekenen. Maar zo'n vaart zal het niet lopen. Welke boer is er nou niet blij met een extra paard. En je knapt elke dag meer op, dus kun je morgen wel dat eind lopen. De geit niet, maar die breng ik naar Brummer. Uiteindelijk wil ik ze toch even gedag zeggen. 't Zijn jarenlang onze buren geweest en ze stonden in nood altijd voor ons klaar.
Ik moet ook nog naar de dominee, want die weet nog van niets. En als ik dan toch in Bargveen ben, koop ik meteen nieuwe werkkleding. In die lompen van nu durf ik me daar niet te vertonen, dat mag ik vader en moeder niet aandoen..."

„Zóóó... dus je gaat de buurtschap verlaten," zei Brummer nadat hij Arnie met verbazing had aangehoord.
„'t Zal vreemd voor je zijn, je bent hier geboren en getogen en de meesten kunnen hun stek maar moeilijk de rug toekeren.

Maar ja, je hebt niet veel keus, of beter gezegd: die had je wél. Maar daar zullen we het nu niet meer over hebben. Kom er even in voor een kommetje koffie."

Ondanks z'n haast besloot Arnie op de uitnodiging in te gaan, blij omdat Brummer z'n afstandelijk gedrag van de laatste maanden ineens liet varen.

„Wat moet de geit opbrengen?" vroeg Brummer toen ze de keuken binnenliepen.

„Niets," antwoordde Arnie met een vluchtige blik naar Sybien die snel de keuken verliet, „die is als dank voor het nabuurschap."

„Je schijnt goed in je slappe was te zitten," mengde vrouw Brummer zich in het gesprek. „Krijgen we het varken soms ook cadeau?"

Ze zei het snibbig en schoof hem onverschillig een kroes toe.

Arnie dacht snel na want de vraag kwam volkomen onverwachts omdat hij het varken totaal vergeten was. Het dier was sinds de brand bij Brummer ondergebracht die er tot de slacht en op eigen kosten voor zou zorgen.

„Laat de handel maar aan mij over, vrouw," zei Brummer voorzichtig maar met een verwijtende blik.

„Zal ik wel doen ook," klonk het bits terug. „'t Is zo'n beetje het enige wat je nog kan."

Brummers blik richtte zich op het tafelzeil en Arnie kleurde tot in z'n nek.

„Ik zal maar weer eens opstappen," zei hij om aan de benauwende sfeer te ontkomen. „Ik moet nog wat inkopen doen in Bargveen."

Hij liet z'n koffie onaangeroerd en liep na een korte groet naar buiten, gevolgd door Brummer.

„Welke prijs had je gedacht voor het varken," vroeg deze. „Ik heb helemaal niet meer aan het varken gedacht," bekende Arnie, „dus ook niet aan een prijs. Laat maar zoals het is. Wat moet ik met het varken of met het vlees. Vroeger was dat anders, toen zorgde Mijntje ervoor dat de hammen werden gedroogd en de worsten gestopt. Maar dat is verleden tijd. Het varken is u gegund."

„Nee, dat kan niet," wierp Brummer tegen. „Dat is m'n eer te

na. Maar ik denk dat ik een oplossing weet. Kom maar mee."
Hij ging Arnie voor naar de bijkeuken en opende een kast.
Vanonder een stapel oude kleren haalde hij een doos te-
voorschijn en scheurde die open.

„Kijk," zei hij, „dit jasje heb ik speciaal laten maken voor mijn
zoon tijdens z'n ziekbed. Ik was ervan overtuigd dat hij beter
zou worden en wilde hem ermee verrassen. Zelfs moeder de
vrouw wist het niet en weet het nog niet. Ik heb het haar, na
de dood van Menno, nooit durven te vertellen. Dat zou te bitter voor haar geweest zijn. Menno was haar lievelingskind. Ze
is na zijn dood ook erg veranderd. We doen het nooit goed
genoeg. Ik niet, de meiden niet, alleen Menno, die kon alles
beter, vlugger, mooier. Maar ach, ik ga er maar niet tegenin. 't
Is nou eenmaal niet anders en elk mens draagt zijn eigen
kruis. Mijn moeder zei altijd: als iedereen op een dag zijn kruis
op een marktkraam gooit en dan al die andere bekijkt, neemt-
ie 's avonds toch weer z'n eigen kruis mee naar huis. Zo denk
ik er ook over en pas nu even het jasje. Doe het maar op de
plee, daar ziet niemand je. 't Is echt mooi hoor, met borduur-
sels langs hals en mouwen en het komt van de beste kleer-
maker uit de provincie."

De plee was in de koeienstal en bezat nauwelijks ruimte voor
een verkleedpartij, maar Arnie slaagde er toch in. Het jasje
paste perfect maar was eigenlijk te mooi voor een knecht.
Men zou hem van hoogmoed kunnen betichten of voor een
zoon van een herenboer aanzien.

„En?" vroeg Brummer toen hij terugkwam.

„'t Past wel goed," kwam Arnie wat aarzelend, „maar ik vind
het er een beetje te… te…"

„Te duur uitzien voor jou," vulde Brummer hem aan, „en dat
dacht ik al. Maar ik wil dat je het meeneemt. Als het hier blijft
liggen heeft niemand er wat aan en je zult zien dat er een dag
komt dat je het gaat dragen. Stop de doos onder je boezeroen,
want ik heb geen zin in gehakketak binnen."

Bij het afscheid nemen drukten ze elkaar de hand en
Brummer slikte even eer hij zei: „'t Zal vreemd zijn zonder
Ovink in de buurt. Ik heb altijd fijne buren aan jullie gehad. De
laatste tijd was het wat minder, maar dat lag niet aan jou. Ik

hoop dat het je goed gaat, maar dat zal wel lukken, Schaafsma is een aardige kerel. Ik ken hem van de veemarkt."

Die avond schreef hij een brief aan Geurt maar kon z'n hoofd er niet bij houden. Steeds weer hoorde hij de woorden van de dominee die hij eerder die dag had bezocht en die bij het weggaan zei: „Ik spreek je zondag weer in 'De Goede Herder' en hoor dan graag hoe je het maakt. Of hou je niet van koorzang? 't Is een speciale uitvoering voor familie en bestuur..."
Hij had heftig geknikt en de koorzang enthousiast geprezen. Zich groot gehouden met een verdrietig hart. Want waarom had Mijntje hem niet uitgenodigd? En dat terwijl ze enige tijd terug nog zo had aangedrongen op zijn aanwezigheid.
Als ze niet meer van hem hield had ze hem toch als broer kunnen uitnodigen, of wilde ze zich van alle vroegere banden bevrijden?
Moest-ie toch maar gaan en onopgemerkt op de achterste rij gaan zitten om zo zijn hevig verlangen te verzadigen door haar even te zien?
Als ze hem niet wenste te spreken, moest de dominee haar maar zeggen dat ze niet over haar halfdeel van de oogst mocht beschikken, omdat een deel daarvan werd opgeëist door het tehuis en het andere deel zou worden vastgezet tot na haar minderjarigheid.
Maar ach... misschien was ze wel weer blij hem te zien, juist door het overwachte. Ze was immers zwanger en daardoor wat grillig van humeur.
Voor de vierde keer boog Arnie zich over het vel papier waar nog niet veel anders geschreven stond dan 'Beste Geurt' en de brief moest vandaag nog weg want Geurt mocht niet voor een dichte deur komen.
Eindelijk was de brief af en hij keek geërgerd naar de hanenpoten op het papier. „Dat handschrift van mij is geen gezicht, Frouke," mopperde hij. „Maar wat wil je als je op je knieën aan een kistje moet schrijven. Misschien mag ik in Nifterholt aan de eettafel schrijven. We wachten het maar af..."
Toen hij de volgende ochtend het hek van de voormalige hoeve voorgoed achter zich sloot, liet hij z'n blik nog even

gaan over het kale erf waar niets hem meer herinnerde aan het lief en leed dat zich er ooit afspeelde. Het goede en kwade, het geluk en het ongeluk, het leek of er van dat alles nooit iets was geweest.

De paaltjes voor het nieuwe bestek stonden al in de grond. Een nieuwe hoeve zou herrijzen; nieuwe mensen zouden het erf bevolken en niemand van hen zou iets van het verleden vermoeden...

„Dag vader, dag moeder, in m'n hart neem ik u mee. Dag Ploos, dag beek... dag... Widde..."

Met een jutezak over z'n schouder en Frouke aan z'n zij, liep hij het zandpad af.

HOOFDSTUK 11

De hartelijke ontvangst door de familie Schaafsma overviel hem zodanig, dat hij moeite had de juiste woorden te vinden om iets beleefds te zeggen.

De tocht was hem zwaarder gevallen dan hij had vermoed. Niet om de inspanning maar om de roerselen vanbinnen. Het afscheid nemen van het verleden, het knecht worden. Stil en bleek keek hij toe hoe de boerin, een vrouw van half de veertig met een groot lichaam en een gezicht als een sterappel, een zijde spek tegen haar borst hield en er dunne plakjes van afsneed.

„Ik zal je eens wat bijvoeren," zei ze met een brede lach, „je bent veel te mager."

Ze schoof hem een snee roggebrood met spek toe en ging naast haar man aan de keukentafel zitten.

„Dit is een gemengd bedrijf," begon Schaafsma uit te leggen. „We hebben een dikke dertig melkkoeien, negen vaarzen, vijf kalveren en vijf paarden, met die van jou erbij zijn het er zes. De akkerbouw bestaat uit erwten, rogge en aardappelen. Volgende week beginnen we met het oogsten van vier hectare rogge, daar komen negen dagloners voor die onder jouw leiding zullen staan. Daarom vind ik het zo jammer voor Lub, onze knecht. Hij keek, ondanks de lange dagen, altijd zo uit naar de oogsttijd. Hij vond het spannend en gezellig om met zoveel mensen te werken.

Toen hij verleden week dinsdag niet kwam opdagen voor het middageten, vonden we hem op het aardappelveld. Een beroerte, zei de dokter.

Vijftien jaar heeft-ie bij ons gewoond, nu ligt-ie in het ziekenhuis, is aan een kant verlamd dus voorgoed invalide. Zonde voor hem en voor ons, 't was een fijne knecht. Betrouwbaar en ijverig en omdat er hier in de omgeving niemand te vinden was die hem kon vervangen, heb ik Buwalda om hulp gevraagd en zodoende zit jij hier. 't Is even wennen, zo'n jonge voorman had ikzelf niet gauw durven aannemen. Lub is vierenvijftig en jij drieëntwintig, maar omdat ik je vader gekend heb, weet ik dat je uit een goed geslacht komt. Bovendien had Buwalda veel lovende woorden voor je en ondanks mijn bedenkingen tegen hem, dorst ik toch vertrouwen te hebben in zijn beoordeling.

Hij noemde je een man van weinig woorden maar met twee rechterhanden en om zo iemand zit ik juist verlegen, dus hoop ik dat je blij met ons zult zijn en wij met jou.

Mijn vrouw zal je het knechtenkamertje wijzen en de huishoudelijke regels met je doornemen.

Het dagelijkse werk heb ik als volgt verdeeld: jij, Folkert en Hymen, twee vaste arbeiders, doen hoofdzakelijk de akkers. Zij beginnen om zes uur en het is de bedoeling dat jij voordien de paarden verzorgd en ingespannen hebt. Take, m'n jongste zoon, zorgt voor het vee. Hij houdt niet zo van het schoffelwerk. Take melkt liever en voorlopig laat ik dat zo, hij is nog maar vijftien. Ik ben al blij dat-ie me wil opvolgen. Eelco, m'n oudste zoon, wil dat absoluut niet. Die wil dominee worden en studeert theologie. In de weekeinden komt hij naar huis.

Ik heb er nog altijd moeite mee, maar ja, wat doe je eraan? Ik kan hem toch niet dwingen en dominee is ook een mooi beroep. Wat dat betreft kan ik me er wel mee verzoenen en moeder de vrouw ook."

Nadat de koffie was uitgedronken, maakte Schaafsma Arnie wegwijs op de hoeve en na het middageten reden ze in de boerenwagen langs de akkers die veel omvangrijker waren dan Arnie gewend was.

Ook maakte hij kennis met Folkert en Hymen waarbij hem opviel dat Folkert hem vriendelijk begroette en Hymen geen enkel woord voor hem overhad en zelfs z'n uitgestoken hand negeerde.

„Hymen voelt zich gepasseerd," begon Schaafsma toen ze weer op de bok zaten en hun weg vervolgden.

„Hij begrijpt niet waarom ik hem niet als voorman heb gekozen, want hij is de oudste van jullie drieën, zegt hij. Maar Hymen kan niet met mensen omgaan. Hij is een prima arbeider maar stug en bot in de omgang. Tot nu toe is er elk jaar wel een keer ruzie geweest tussen hem en de dagloners. De mensen pikken z'n grofheden niet, zeker niet tijdens de oogst, want dan zijn ze moe en prikkelbaar.

Ik heb hem er wel eens voor op het matje geroepen, maar dat

helpt niet. „Ze nemen me maar zoals ik ben", zegt hij. Ik heb er wel eens aan gedacht om hem z'n ontslag te geven, maar dat kan ik niet over m'n hart verkrijgen. Hij heeft een vrouw en zes kinderen. 't Is een moeilijke zaak en een moeilijke man, dat weet ik wel. En als ik…"

De rest hoorde Arnie niet want ineens gingen z'n gedachten naar Widde en naar hetgeen de dominee hem gisteren had gezegd: „We hebben de informatie gekregen dat je broer waarschijnlijk het land uit is. Heb je al iets van hem gehoord of liever gezegd, weet jij soms iets meer over Widde dan wij?"

Hij had z'n hoofd geschud en gezegd dat-ie evenveel wist als dominee zelf.

De dominee had hem toen strak aangekeken en gezegd dat Widde een strafbaar feit had gepleegd, maar ook degene die informatie achterhield was strafbaar. Er zouden een paar gerechtsdienaren naar 't Sliefje gaan om de waard en zijn personeel te ondervragen. De kwestie zou tot op de bodem worden uitgezocht.

Ook had de dominee er nog aan toegevoegd, dat als-ie post van z'n broer ontving, hij verplicht was dat te melden.

Hij had de dominee beloofd dat te doen maar erbij gezegd dat-ie niet op post van z'n broer rekende omdat die zijn nieuwe adres niet kon weten.

Toen was de dominee over een ander onderwerp begonnen en had hem op het hart gedrukt vooral z'n best te doen in z'n nieuwe werkkring en zich daar onderdanig te gedragen want dat hoorde bij een goed christen.

Ook moest-ie trouw de kerk bezoeken en bidden voor vergeving van de zonden van zijn broer en zuster en vooral trachten zelf niet in zonden te vervallen, want dan zou de krenking van hun ouders het dieptepunt bereiken.

Hij had de dominee beloofd zijn best te doen en zeker diens goede raad ter harte te nemen…

„… dus als ik je een goede raad mag geven," verbrak Schaafsma Arnies overpeinzingen, „laat Hymen in z'n sop gaarkoken, dat lijkt mij het enige wat je kunt doen. Maar denk erom: jij hebt de verantwoording over het reilen en zeilen van de akkers."

Tegen koffietijd waren ze weer thuis en kwamen Hymen en Folkert ook binnen.

De boer en z'n drie arbeiders dronken zwijgend hun koffie, maar de boerin vulde de keuken met veel gepraat en leek van niemand antwoord te verwachten, totdat haar jongste zoon binnenkwam.

„Waarom ben je zo laat?" vroeg ze hem.

„Er waren een paar koeien uitgebroken," antwoordde deze en nam als eerste een plak roggebrood met spek van de schaal. Hij gaf Arnie een hand en mompelde met volle mond iets onverstaanbaars.

„En," vroeg z'n vader, „heb je ze weer terug kunnen halen?"

„Ja vader," was het antwoord.

„Maar toch zeker niet alleen, hè?" vroeg z'n vader met enig ongeloof in z'n stem. „Dat is bijna onmogelijk."

Take sloeg z'n ogen neer en werd vuurrood toen hij zei: „Nee vader, Femke heeft me geholpen."

„Zie je wel, dat dacht ik al en ik kan het begrijpen ook. Femke is een lief en vriendelijk meisje, maar je hebt geen schijn van kans bij haar, knul. De IJzinga's zoeken hun schoonzoons zelf uit. Die willen dat hun geld zich met geld vermengt, bovendien zijn ze nog katholiek ook, dus tel uit je winst."

Take zweeg en slikte z'n hap hoorbaar door terwijl Hymen zich in het gesprek mengde. „Waar een mens zich al niet druk om maakt," bromde hij. „Ik ben blij dat ik niet meedoe aan die flauwekul. Ik geloof alleen in m'n handen want die moeten acht monden openhouden en ik heb God nog nooit bij m'n werk gezien."

„Foei Hymen," viel Schaafsma geschrokken uit, „zo mag je niet over God spreken, zeker niet in dit huis. Zonder Gods Zegen zijn we nergens, jij ook niet."

„'t Kan waar wezen," schamperde Hymen, „maar ik denk dat Schaafsma toch raar zou opkijken als-ie de akkers aan God overliet."

„Zo is het genoeg, Hymen," vond Schaafsma, „je hebt het recht niet om iemand te kwetsen. Niet met het geloof en ook niet in andere zaken."

Hymen maakte een afwerend gebaar. „Ik weet het, ik weet het, de mensen lijken tegenwoordig allemaal van fijngemalen poppenstront te zijn. Je moet ze met zijden handschoentjes aanpakken. Nou, daar past Hymen voor. Die houdt niet van stiekem. Hymen is recht voor z'n raap en daar doen ze het maar mee..."

Niemand gaf hierop een antwoord, waardoor het slurpen van Hymen goed te horen was.

Toen z'n kroes leeg was zette hij die hardhandig op tafel en liep de keuken uit.

De sfeer in de knusse keuken leek bedorven, want iedereen stond op en hervatte het werk.

Om zeven uur die avond betrok Arnie z'n slaapvertrek, een kamertje met een klein dakraam dat uitzicht bood op een gedeelte van het erf en de stallen.

Even bekroop hem het verlangen om naar Frouke te gaan om, net als vroeger, met haar te praten, maar daarvoor moest hij door de woonkeuken waar de familie Schaafsma vertoefde en dat weerhield hem ervan. Hij mocht zich niet opdringen en goed laten zien dat-ie wist waar z'n plaats was: het knechtenkamertje op zolder dat er beslist aardig uitzag.

Er stond een kast, een bedstee met propere gordijntjes en een tafeltje met een stoel. Op het tafeltje stond een stenen kruikje met een bosje bloeiende heide erin. Er lag een briefje bij waarop geschreven stond: Welkoom op de arenhoefe.

Ontroerd nam hij plaats aan het tafeltje waar ook nog een kandelaar met kaars en een wekker stond.

Hij had het niet slecht getroffen, de Schaafsma's waren hartelijke mensen en de kost was goed.

De boerin had gezegd dat-ie om negen uur naar beneden kon komen voor de pap, maar z'n maag zat nog vol. Aan zulke maaltijden was-ie niet meer gewend de laatste maanden. Ook niet aan zoveel mensen en hun vele gepraat.

't Was als een lawine over hem heen gekomen na al die maanden van eenzaamheid en vaak enge stiltes waarin hij alleen zijn ademhaling hoorde en het ruisen van de beek of de roep van een uil in de nacht. O jee, de uil van Plaggemientje, die zat nog in de jutezak, net als het mooie jasje van Brummer.

Waarom had-ie daar niet eerder aan gedacht, 't waren immers mooie herinneringen die een goeie plek verdienden.

De uil plaatste hij op de knechtenkast waar hij tot z'n recht kwam, maar het jasje werd door hem achterin de kast gehangen zodat niemand het kon zien.

Die avond vlijde hij zich op z'n bed dat naar buitenlucht rook en de luxe van een kussen had.

Z'n slaap was diep maar gaf hem vele beelden.

Die van Mijntje, vader en moeder, een brandende hoeve en paarden die geslagen werden.

De eerste zondag op de Arendhoeve woonde hij een kerkdienst bij in Nifterholt en ging niet in op het aanbod van de boerin om na de dienst met hen terug te rijden in de huifkar.

Hij verkoos een eenzame wandeling om zodoende z'n gedachten te laten gaan over de verdere invulling van die zondag. Zou hij toch naar de zanguitvoering van Mijntje gaan?

Het verlangen was groot en de afstand een stuk korter dan vanuit Oud-Eijkelaer… dus wat de tijd betrof, kon hij het nog makkelijk halen.

Bovendien kon hij te paard gaan want de wonden van Frouke waren genezen en het dier gaf duidelijk aan dat het wat meer actie wilde.

Maar om ongevraagd naar Mijntje te gaan, daar moest-ie dan toch eerst z'n trots voor opzijzetten. Niet meer denken aan haar striemende woorden en alleen maar gaan om naar haar te luisteren en te kijken.

Kon-ie dat, of moest het eerst nog wat slijten?

Een paar weken wachten zou wellicht beter zijn, ook voor Mijntje.

Ja, hij moest alles maar even laten betijen en vanmiddag naar Plaggemientje gaan want die was er ook niet best aan toe en zou zeker naar hem uitkijken.

Onderweg naar het oudje kon hij niet nalaten even een bosje heide voor haar te plukken. Ze hield er zo van maar de afstand was te groot voor haar geworden.

Toen hij het huisje op enkele tientallen meters genaderd

was, hield hij het paard in en wachtte tot Plaggemientje in het deurtje verscheen.

Maar er gebeurde niets. Ook de gordijntjes bewogen niet. Met een onbehagelijk gevoel legde hij de laatste meters te voet af en klopte op de deur. Het bleef echter stil en daarom besloot hij naar binnen te gaan.

Hij deed dat op een manier alsof-ie een verboden ruimte betrad en toen zijn ogen aan de halfduistere omgeving gewend waren, zag hij haar liggen. Ze lag precies op de plek waar volgens haar zeggen Bauwke gestorven was. Geschrokken en geëmotioneerd knielde hij bij haar neer en voelde aan haar witte gezicht en handen.

Ze voelden klammig koud aan. De kille kou van de dood.

Geheel in de war wreef hij haar ingevallen wangen en verstijfde handen en huilde zonder het te weten. „Plaggemientje...'k had nooit gedacht dat het zo snel zou gebeuren. 'k Had nog zoveel bezoekjes in m'n hoofd en nog zoveel te bepraten. Maar het is allemaal voorbij, Plaggemientje. Voorgoed voorbij."

Lang staarde hij naar het oude gezichtje, waarvan de ingevallen mond een vredige glimlach had.

Hij streek haar kleren glad, vouwde haar handen en legde het bosje heide erop, want zo zou Plaggemientje het gewild hebben.

Hij boog z'n hoofd voor een stil gebed en ging daarna zitten op een van de kistjes.

Met z'n hoofd in z'n handen staarde hij naar niets en huilde of huiverde, totdat hij besefte dat hij zo niet kon blijven zitten.

Er moest hulp komen. Plaggemientje moest netjes worden opgebaard met een mooi doodskleed. Maar wie kon dat doen?

Schaafsma zou er weinig begrip voor hebben als z'n knecht voor zoiets vrijaf vroeg, zeker niet tijdens de oogst en al helemaal niet als het Plaggemientje betrof.

Zou de dominee van Nifterholt er raad op weten?

Die leek nog jong en had misschien een wat ruimere opvatting over Plaggemientje en haar levensstijl...

Voordat Arnie vertrok gleden z'n ogen nog even door het duistere kamertje. Het zag er anders uit. Anders dan bij de vorige bezoeken en dat kwam niet alleen omdat het kleine

188

vrouwtje niet meer op haar vertrouwde plekje zat. Er was nog iets wat hij miste. Maar wat.

Ineens zag hij het: Kalle was weg. Alleen z'n voetstuk stond er nog.

Nieuwsgierig liep hij naar de hoek van Kalle en zocht rond het tafeltje op de grond.

En daar lag Kalle, op z'n rug en met de poten omhoog.

Bedroefd keerde hij terug naar de Arendhoeve waar hij met niemand over het gebeurde sprak en in z'n kamertje verbleef tot de boerin hem riep voor de laatste broodmaaltijd van die dag.

Op de avond van de volgende dag bracht hij een bezoek aan de nieuwe dominee en legde zijn probleem op tafel. Na zijn pleidooi toonde de dominee begrip voor zijn gevoelens, maar moest hem teleurstellen wat de begrafenis betrof.

Hij was pas aangesteld en wilde het kerkbestuur niet tegen zich in het harnas jagen door een heidense vrouw de laatste eer te bewijzen.

Het speet hem zeer, want een dode was een dode en het was ook niet God die het onderscheid maakte, maar de mens en met die mens kreeg hij te maken.

En zo gebeurde het dat Arnie als enige achter de baar van Plaggemientje liep, nagestaard door ogen vol onbegrip. Maar dat ontging hem. Hij zag de kist en in gedachten het vrouwtje in haar doodskleed, dat hij op de valreep nog had kunnen kopen. In haar armen wist hij het bosje heide en haar vriend Kalle.

Toen de doodgravers de kist lieten zakken, zegde Arnie luid en duidelijk enkele bijbelteksten uit zijn hoofd op en vroeg in een gebed om Gods Zegen voor de zielenrust van Plaggemientje die, dankzij het oogstgeld van Arnie, niet in de armenhoek werd begraven, maar dicht bij Bauwke haar laatste rustplaats vond.

De zomer naderde z'n einde en de roggeoogst was achter de rug.

Tot dan toe was alles voorspoedig verlopen, niet alleen door het gunstige weer maar ook door de goede harmonie van de dagloners onderling.

Een enkeling deed wel eens zijn beklag over Hymen, maar Arnie had dat steeds weten te sussen.

Zelf had hij nog weinig woorden met Hymen gewisseld omdat diens vijandige blikken en schampere opmerkingen hem daarvan weerhielden.

Bij de familie Schaafsma lag dat heel anders, die toonde zich heel tevreden over hem en gaf hem het gevoel of hij bij het gezin hoorde.

„'t Is of m'n gezin weer compleet is", had de boerin gezegd en Take had hem al gevraagd waarom-ie 's avonds niet beneden kwam zitten.

Maar Arnie bleef op z'n kamertje. Zo luidden nu eenmaal de regels voor de knechten.

En daarom draaide Take de zaak om en zocht Arnie dikwijls op. Dan stortte hij z'n hart uit over z'n verliefdheid en de geheime plekjes waar hij Femke ontmoette.

„Als we later niet met elkaar mogen trouwen, vluchten we weg," zei hij op een avond, „dat hebben we elkaar beloofd." Hij zei het met zo'n stelligheid dat Arnie ervan schrok. „Daar zullen je ouders dan veel verdriet van hebben," had hij Take geantwoord.

Take had toen wat witjes voor zich uit gekeken en gemompeld: „Dat weet ik goed genoeg en dat vind ik ook heel erg, maar ik denk dat jij niet begrijpt wat ik voor Femke voel."

„Daar vergis je je in, Take," was Arnies weerwoord geweest. „Ik begrijp je gevoelens beter dan je denkt. Ik heb ook iemand lief die zo goed als onbereikbaar voor me is. Daarin ben je dus niet de enige."

Na die woorden was Take opgesprongen en had, in z'n jeugdige overmoed, Arnie bij de schouders gepakt en enthousiast geroepen: „Maar daar laat je het toch niet bij zitten? Je moet ervoor vechten, dat ga ik ook doen."

„In mijn geval heeft dat geen enkele zin, Take, en ik kan je niet vertellen waarom, want dan moet ik mijn woord breken."

Sindsdien beschouwde Take hem als zijn grote vriend wiens geheim hij deelde. En als iemand je zó in vertrouwen had genomen, werd je toch zeker voor volwassen aangezien.

Z'n familie zag het glimlachend aan en vond het allemaal best, maar zo dacht Hymen er niet over.

„Je hebt je kontje er lekker ingedraaid, hè," zei hij op een dag toen ze bezig waren de erwten op de ruiters te laden. „Zondags mee naar de kerk en vriendje worden met het zoontje van de baas. Kijk, dat noem ik nou vrome streken en daarom moet ik jullie soort niet. Allemaal achterbaks."

Z'n woorden maakten Arnie woedend, temeer omdat Hymen ook nog in zijn richting spoog.

't Liefst was hij Hymen aangevlogen, maar Folkert kon hem kalmeren en foeterde tegen Hymen dat hij altijd de sfeer wist te verpesten en Arnie in een kwaad daglicht stelde tegenover de dagloners.

„'k Heb liever dat je vandaag nog opdondert, dan morgen," had-ie eraan toegevoegd.

Op zo'n uitval had Hymen niet gerekend en omdat Folkert z'n zwager was, heeft niemand Hymen die dag nog gehoord.

In de weken daarna kreeg hij tweemaal een brief van Geurt. „Het spijt me zo", schreef deze, „dat onze gezellige zaterdagavonden voorbij zijn. Maar de afstand naar je nieuwe woonstee is zó groot dat ik het niet meer kan combineren met een bezoek aan Hanna.

Ik ken je goed genoeg om te weten dat je zult begrijpen dat ik Hanna wil blijven zien, vooral nu ik heb gemerkt dat ze meer toenadering zoekt. Ik ben daar heel gelukkig mee en hoop voor jou dat je binnenkort hetzelfde ondervindt met Mijntje…"

En dat gebeurde.

Eind september ontving hij Mijntjes brief waarin ze schreef dat ze hem graag weer eens wilde zien.

Ze miste hem en de hoeve toch meer dan ze had kunnen vermoeden.

Ze moesten maar weer eens herinneringen ophalen en dan kon hij ook vertellen hoe het knechtenleven hem beviel…

Dolgelukkig begaf hij zich, samen met Frouke, op weg en zong luidkeels het lied van een vogelijn dat afscheid nam in het najaar, maar beloofde terug te komen als het voorjaar er was.

De deur van 'De Goede Herder' was nog gesloten toen hij aankwam, maar het deerde hem niet en nadat de grendels eraf waren gedaan, stoof hij naar binnen en zocht tussen al die eender geklede meisjes naar dat ene gezicht.

Ineens ontdekte hij haar. Ze zat wat ineengedoken in een hoekje en leek moeite te hebben om overeind te komen. Geschrokken hield hij z'n pas in. Mijntje leek zich niet goed te voelen. Erger nog, Mijntje zag er slecht uit, was vermagerd en dat in haar omstandigheden!

Geheel tegen z'n gevoel in benaderde hij haar wat terughoudend, want daar hield ze van. Maar plotseling ging dat niet meer en waren z'n armen al om haar heen eer hij het wist.

Ze weerde hem niet af maar hing stilletjes tegen hem aan met vochtig geworden ogen.

„Fijn je weer te zien," zei ze toen ze tegenover elkaar zaten en hij haar goed kon bekijken.

Hij knikte ontroerd en keek naar haar vlekkerig gezicht en de donkere randen onder haar ogen.

„Voel je je wel goed?" vroeg hij bezorgd.

Ze antwoordde niet direct en keek hem aan met een wat geforceerde glimlach.

„'t Gaat wel," zei ze uiteindelijk, „maar ik zal blij zijn als het kindje er is. Ik ben steeds moe. Doodmoe en dat vind ik vervelend, vooral tegenover de meisjes. Misschien denken ze wel dat ik smoesjes verzin om zo onder de taken uit te komen, maar dat is echt niet zo."

„Dat zullen ze heus niet van je denken," stelde Arnie haar gerust. „Je bent hier al vijf maanden en dan weten ze heus wel wie Mijntje is. Trouwens, het is niet belangrijk wat anderen zeggen, wel wat de dokter zegt. Heb je hem verteld van je moeheid?"

„Nee."

„Nee? En waarom niet, de dokter moet dat toch weten?"

„Misschien wel, maar het is zo'n vreemde man. Toen-ie me laatst moest onderzoeken, haalde hij met z'n wandelstok de dekens van me af. Net of-ie vies van me was."

„Is-ie nou helemaal gek!?" viel Arnie uit. „Daar moet je je beklag over doen bij de directie. Of zal ik dat doen?"

„O nee, doe dat in hemelsnaam niet. Hij staat zo hoog aangeschreven hier. Als-ie binnenkomt moeten we allemaal een lichte buiging maken, net als voor het bestuur en de directrice."

„Hm," bromde Arnie, „dat zou ik vertikken. Ik buig alleen voor God en voor niemand anders."

Mijntje ging snel over op een ander onderwerp en vroeg hem hoe hij het maakte in zijn nieuwe omgeving en nadat de gong had geluid, pakte ze zijn hand en zei zacht: „Het spijt me van wat ik laatst gezegd heb. Ik wist toen nog niet wat je allemaal had doorgemaakt met die brand."

„Hoe weet je dat!?" vroeg Arnie stomverbaasd.

„Er liggen hier altijd oude kranten in de wc en daar las ik het in. 't Moet vreselijk voor je geweest zijn."

„Ja... dat was het, en voor jou nu ook."

„Och, bij mij valt het wel mee. Ik ben min of meer al los van de hoeve. Het heden slokt me te veel op en het verleden lijkt daardoor ver weg."

„Voel je dan helemaal geen binding meer met vroeger?"

Mijntje schudde haar hoofd. „Nee, eerlijk gezegd niet. Ik ben gaan inzien dat binding niets anders inhoudt dan gewoontes, tradities en dagelijkse sleur waarin een mens vastroest en zich verbeeldt daar gelukkig mee te zijn."

Arnie keek haar ongelovig aan. „Maar in je brief stond heel iets anders. Je miste me en wilde herinneringen ophalen. Maar waarom?!"

Mijntje haalde haar schouders op. „Ach ja, dat zijn van die opwellingen waaraan ik dan wil toegeven. En leuke gebeurtenissen ophalen is toch gezellig?"

Arnie knikte om haar niet tegen te spreken, maar begreep niets van het gemak waarmee ze het verleden losliet.

Wat mankeerde hém toch dat-ie zich zo aan alles hechtte?

Aan de woonkeuken van de Leeuwerikhoeve met de geur van de hammen aan het plafond.

Aan moeders kus als ze hem naar bed bracht. En aan vaders stem bij het gebed. Het ruisen van de beek, maar vooral aan hen die hem altijd omringd hadden.

Zelfs aan Widde moest-ie dikwijls denken...

„Zie je mij dan ook als iemand die bij de dagelijkse sleur behoort?" vroeg hij scherper dan hij bedoelde.

Hij had onmiddellijk spijt van z'n vraag, want Mijntje boog haar hoofd als een bestraft kind en zei onzeker: „Ik... ik weet het niet. Ik word geen wijs meer uit mezelf en betrap me erop dat ik zo weinig aan mijn familie terugdenk. Voor m'n gevoel is vader al jaren dood, terwijl het nog een jaar moet worden. 't Is vreemd, maar ik troost mezelf ermee dat ik niet de enige ben die zo is. Widde heeft ook dat losse. Alleen jij bent anders, maar misschien komt dat omdat jij geen Ovink bent."

Arnie keek haar getroffen aan. „Lieve Mijntje," zei hij ontroerd, „je zegt precies datgene waar ik zelf zo vaak aan denk. Ik klamp me aan alles en iedereen vast uit angst voor die akelige eenzaamheid die de werkelijkheid eigenlijk voor me is. Een ander kan zeggen, dit trekje heb ik van m'n vader en dat van m'n moeder. Maar ik weet niets en nu ik niet meer hoef te wassen en te koken, heb ik 's avonds weer tijd om wat aan houtsnijden te doen. Als ik daarmee bezig ben, denk ik dikwijls: zou mijn vader zoiets ook gedaan hebben? En zo blijf ik daar ongewild mee bezig en dat terwijl ik heel gelukkig ben geweest in jullie gezin. Raar hè?"

Mijntje knikte begrijpend en fluisterde haastig: „De conciërge komt naar je toe. Je bent de laatste bezoeker die hier nog is. Ga maar gauw."

Hij gaf haar een vluchtige kus op haar wang en vroeg: „Mag ik volgende week wéér komen?"

„Natuurlijk," was haar antwoord en ze lachte voor het eerst die middag.

HOOFDSTUK 12

't Was half oktober en het aardappelrooien was in volle gang. Voor deze oogst hadden zich veel vrouwen gemeld en omdat het herfstvakantie was, werden de kinderen meegenomen om te rapen want elke cent was broodnodig.

Met jutezakken als voorschoot, kropen de vrouwen en kinderen over de natte kluiten om de aardappelen te rapen die de mannen met hun riek naar boven haalden.

Mand na mand werd door de rappe handen en handjes gevuld en het werk werd alleen onderbroken als de boerenwagen kwam en de boerin de kroezen met koffie uitdeelde.

Dan werden de vermoeide ruggen even gestrekt en de koffie met roggebrood schrokkerig naar binnen gewerkt want het zware werk en het gure weer maakten hongerig.

Tijdens zo'n pauze gleden Arnies ogen langs de vele dagloners, het waren er meer dan twintig en de meesten van hen waren vrouwen.

Ze vormden, traditiegetrouw, twee groepen, één van mannen en één van vrouwen om op die manier hun lief en leed uit te wisselen.

Ze hadden echter allen iets gemeen, ze waren arm, schamel gekleed en hadden zorgelijke gezichten.

Voor Arnie was het een nieuwe ervaring. Nooit eerder had-ie zoveel armoedige mensen zien ploeteren voor hun dagelijkse kostje.

Vader Ovink had hem wel eens verteld van de armoede onder de veenarbeiders, maar met je neus erop staan is toch wel heel anders. En hoewel de leefwijze van vader en moeder sober was, armoede had-ie nooit gekend. Ze werden goed gevoed en gekleed en vader had een behoorlijk spaarpotje. Maar die mensen hier leefden op de rand van de honger. Ze schrokten hun eten naar binnen en dat deed hem zeer.

Hoe kon zoiets ontstaan, en waarom was de een zo arm en de ander zo rijk? En hoe kon iemand als Buwalda hier jaar op jaar naar kijken, zo'n man kon er toch wel eens iets tegen ondernemen? Laarsjes voor de kinderen of warme omslagdoeken voor de vrouwen. Maar ach, wat kon je van zo'n man verwachten, niets immers. Mismoedig dronk Arnie z'n kroes leeg en keek naar het groepje vrouwen van wie er één langdurig over haar lende streek en het roggebrood met haar vier kinderen deelde.

Ze haalde de jutezak van haar middel waardoor hij zag dat ze zwanger was.

In een opwelling liep hij naar haar toe en vroeg: „Is het werk niet te zwaar voor u?"

Ze keek hem met doffe ogen aan en wees naar haar vier kinderen. „Ze moeten toch eten hè? M'n man is twee maanden geleden in z'n slaap gebleven…"

Hierop wist Arnie niets te zeggen, hij liep terug naar z'n riek en stak die driftig in de grond.

Zo nu en dan keek hij in de richting van die vrouwen en toen zij haar volle mand naar de kar sjouwde, ging hij haastig naar haar toe en zei: „Die volle manden laat u voor mij staan, ik wil niet dat u die tilt."

Ze keek hem verwonderd aan en haar ogen flitsten even op toen ze zei: „Dank u, dat scheelt een stuk."

's Middags bij het wisselen van de manden duwde hij onopvallend een rijksdaalder in haar hand en fluisterde: „Hiermee kunt u een paar dagen thuisblijven tot het weer wat verbeterd is."

Even staarde de vrouw naar de grote munt in haar groezelige hand, toen gaf ze het snel terug en stamelde: „O nee, dat kan niet… Ik kan hier niet zomaar wegblijven… Die vrouwen hier zullen denken dat ik ziek ben en komen me opzoeken. Als ze dan zien dat er niets met me aan de hand is, zullen ze zich afvragen hoe ik die vier monden openhoud. Vergeet niet dat armoede ook een band schept. Wij weten alles van elkaar. Als ik niet uit werken ga en toch brood koop, wordt er over mij geroddeld en je kunt wel begrijpen wat er dan gezegd wordt, want zo zit een mens nu eenmaal in elkaar. 't Is goed bedoeld van je maar doe zoiets nooit meer, zeker niet bij vrouwen. Ze zouden je gebaar verkeerd kunnen uitleggen…"

Toen ze met haar lege mand terugliep, keek Arnie haar na. Wat viel er nou verkeerd uit te leggen aan een gift?

196

's Avonds op z'n kamertje dacht hij nog eens over het voorval na en ineens werd het hem duidelijk waar de vrouw op doelde.

„Foei toch," mompelde hij geërgerd, „waar de mensen al niet aan denken. Of armoede alleen al niet genoeg is..."

Een klop op de deur haalde hem uit z'n gedachten en hij riep uit gewoonte: „Kom er maar in, Take!"

Maar het was de boerin die hem een brief aanreikte en spijtig zei: „Die is vanmiddag gekomen, maar ik was hem in de drukte helemaal vergeten. Stom hè?"

„Helemaal niet," vond Arnie, „u hebt meer aan uw hoofd."

Nadat de boerin vertrokken was nam hij plaats aan het tafeltje, trok de kaars naar zich toe en bekeek de enveloppe aandachtig.

Hij herkende het handschrift niet en omdat er ook geen afzender stond vermeld nam zijn nieuwsgierigheid toe. Haastig scheurde hij de envelop open en las: „Hiermede berichten wij u dat uw zuster, Willemijn Ovink, in de nacht van maandag op dinsdag jl., een zoon heeft gebaard.

Tot spijt van ons allen mocht het kindje het levenslicht niet aanschouwen en dragen we het op aan de Genade Gods.

Door deze bijzondere omstandigheden heeft de directie besloten u een extra bezoekuur toe te staan.

Dit kan plaatsvinden op zaterdag a.s. tussen twee en drie uur des middags.

De directie van De Goede Herder, mevrouw Chr. F. van Wieringen."

Verbijsterd bleven z'n ogen gericht op de brief die langzaam uit z'n handen gleed.

Lobbe... O God... zijn Lobbe mocht het levenslicht niet aanschouwen... Lobbe was dus doodgeboren... zou nooit naast hem lopen op de heide... Nooit z'n kleine handjes naar hem uitsteken... Lobbe... Lobbe... wat doet dit zeer. 'k Heb zó naar je uitgekeken... Zó van je gedroomd... en nu... Arnies hoofd viel op z'n armen en hij snikte het uit. Hij snikte zó luid dat Take, die net de trap opkwam, ontsteld bleef staan en niet wist wat te doen.

Na lang twijfelen vervolgde hij schoorvoetend zijn weg naar

boven, opende de deur op een kier en fluisterde beschroomd: „Arnie, wat is er gebeurd? Kan ik je helpen?" Maar Arnie zag of hoorde niets, z'n tranenvloed was nog niet opgedroogd en z'n hoofd lag op z'n armen en hij kreunde af en toe onder het snikken.

Pas toen hij Takes hand op z'n schouder voelde, lichtte hij z'n hoofd op en wreef met z'n mouw langs z'n ogen.

„Take," zei hij mat, „laat me maar alleen. Dat is beter voor jou en voor mij."

„Mag ik je verdriet niet delen?" zei Take spijtig. „Echte vrienden doen dat toch?"

't Bleef even stil, toen knikte Arnie instemmend en wees naar de brief op de grond.

„Lees maar, Take."

Nadat Take de brief had gelezen zei hij ontdaan: „Wat erg, vooral voor je zuster."

Arnie keek hem glazig aan: „Daar zeg je me wat, Take. Ik heb helemaal nog niet aan Mijntje gedacht. Het moet vreselijk voor haar zijn en ze moet het helemaal alleen verwerken. Ik bedoel, zonder iemand die haar eigen is... Als je vader me permissie geeft, ga ik zaterdag naar haar toe en ik hoop dat het kindje dan nog niet begraven is. Ik zou m'n Lobbe zo graag nog even willen zien."

„Waarom zeg je: m'n Lobbe?" vroeg Take verbaasd.

Arnies kaken klemden zich op elkaar. Hij besefte dat-ie zich versproken had en zocht naar een uitvlucht.

„Weet je, Take," zei hij met een vermoeid gebaar, „mijn zuster is het enige familielid dat ik nog heb. We zijn jaren onafscheidelijk geweest en háár zorgen waren mijn zorgen, dus is haar kind ook een beetje mijn kind."

„O, dat kan ik best begrijpen," meende Take. „Zo zou ik het ook voelen. Maar je zuster heeft toch ook een man?" Op die vraag had Arnie niet gerekend. Met z'n ellebogen op tafel en z'n hoofd in z'n handen keek hij langdurig in het vlammetje van de kaars. Take was een fijn joch, maar nu even geen Take. Even alleen zijn met die draaimolen van gedachten en de tranen die weer opkwamen.

„Take," zei hij na enige tijd, „ik weet dat het als een schande wordt beschouwd, maar ik vertel het je toch. Mijn zuster heeft geen man. Mijn zuster zit in een tehuis van ongehuwde moeders. En ik voel me verplicht ook je ouders hiervan op de hoogte te stellen. Zij moeten weten waarom ik vrijaf vraag en ook weten dat ik Mijntjes enige familielid ben. Ze verwacht me en zal naar me uitkijken."

Maar dat bleek niet zo te zijn, want nadat de conciërge van De Goede Herder hem bij de directrice had binnengelaten, vertelde deze dat Mijntje aan hoge koortsen leed. Hem werd slechts een bezoekje van tien minuten toegestaan en zelfs daar moestie nog even mee wachten want de dokter was bij Mijntje en de dokter duldde geen bezoekers om zich heen.

Terwijl hij moest wachten, vertelde de directrice hem dat Lobbe de dag daarvoor was begraven en dat het hem niet moest spijten dat hij het kind niet meer kon zien, want het hoofdje van het kind was nogal beschadigd door de verlostang.

Gelaten hoorde hij haar aan en had nog zoveel te vragen, maar de directrice liet hem naar een wachtkamertje brengen na hem eerst nog gecondoleerd te hebben met het verlies van zijn neef.

Na een half uur wachten ging een verpleegster hem voor naar de ziekenzaal en daar zag hij eindelijk Mijntje. Ze zag er nog slechter uit dan hij verwacht had en ze reageerde niet toen hij haar naam fluisterde.

„Uw zuster is erg ziek," zei de zuster die aan de andere kant van het bed stond.

Hij knikte zonder zijn blik af te wenden van het gezicht dat hem zo lief was. Een gezicht met diep weggezonken ogen en ingevallen wangen waar pareltjes van zweet langs gleden.

„Ze zal het toch wel redden?" vroeg hij schor en bijna smekend.

Het voorhoofd van de zuster fronste zich. „Daar kan niemand u antwoord op geven. Het leven en de dood zijn in handen van God. En ik moet u erop wijzen dat de tien minuten om zijn."

't Was of hij haar niet gehoord had want zijn blik bleef onafgebroken gericht op de gestalte in het ziekbed.

Pas toen de zuster aandrong op z'n vertrek, stond hij op en was al bij de deur toen hij, tot ergernis van de zuster, in een paar passen weer bij Mijntje stond.

Hij nam haar gezicht tussen z'n handen en vroeg smekend: „Vecht terug, Mijntje, word weer beter. Word alsjeblieft weer beter. Je bent m'n alles, Mijntje... M'n alles..."

De ochtend daarop luidden de klokken van de kapel en liepen de meisjes van De Goede Herder twee aan twee in hun zondagse uniform de kapel binnen om de dienst van woord en gebed bij te wonen. En terwijl de dominee zijn armen ten hemel hief en Gods Zegen vroeg, stierf Mijntje. Ze had het gevecht tegen de gevreesde kraamvrouwenkoorts verloren...

HOOFDSTUK 13

Enige dagen later droegen vier doodgravers de kist met Mijntjes lichaam naar buiten, gevolgd door alle meisjes die in De Goede Herder aanwezig waren.

Met gebogen hoofden en ruisende zwarte rokken, schuifelden ze twee aan twee voort en stonden eerbiedig stil toen de kist in de huifkar werd gezet.

De beide paarden die de wagen moesten trekken zetten zich zo statig in beweging dat het leek alsof ze het zo geleerd hadden. En terwijl de klokken een weemoedig bim-bam lieten horen, schoof de stoet als een lang zwart lint achter de baar aan, voorafgegaan door de dominee en de directrice.

Achteraan de stoet liepen, volgens de regels van het huis, Arnie en de boerin, die besloten had haar jonge voorman de trieste tocht niet alleen te laten maken.

Zo nu en dan keek ze naar hem op en pakte even z'n hand, maar er kwam geen teken van leven op het bevroren gezicht van de man naast haar. Z'n ogen bleven op de keien gericht en het was of hij zich automatisch voortbewoog.

Met een bezorgd gezicht nam ze naast hem plaats in de kapel en reikte hem een psalmbundel aan. „Psalm zes," fluisterde ze hem toe. „O Heer Gij zijt weldadig…"

Maar de lippen van Arnie bleven op elkaar toen het lied werd ingezet. Zijn blik en aandacht waren bij de kist op de plavuizen onder de preekstoel en van de preek die op het lied volgde, ving hij alleen de eerste regel op: Kortstondig als het gras is ons leven…

Toen de dienst voorbij was en Mijntjes kist in de groeve daalde, werd alles hem te veel en snikte hij in z'n handen en lang nadat iedereen weg was, stond hij nog bij het graf en prevelde onverstaanbare woorden.

De boerin liet hem begaan, maar toen de regen heviger werd en ze huiverig haar natte omslagdoek dichter om zich heen trok, leidde ze hem met zachte drang weg van het graf.

Ze bracht hem naar de wagen, sloeg een paardendeken om hem heen en nam zelf de teugels.

Halverwege de rit werd de stilte op de bok haar te veel. Ze had genoeg van alleen maar het geluid van de knarsende wielen. Ze wilde praten.

„Ik wist niet veel van je," begon ze met een onbeholpen gebaar, „ook al omdat je geen prater bent. Maar sinds vandaag weet ik dat je veel van je zuster hebt gehouden.

Ik kan je niet troosten maar wil je wel zeggen dat ik met je meeleef. Mijn man en zoon ook. We zijn op je gesteld geraakt en zullen je helpen waar we kunnen. Ik wil graag dat je dat weet, kerel."

Ze blikte hoopvol naar haar passagier en glimlachte van vreugde toen er even een warme gloed in zijn ogen verscheen en ze zijn 'dank u' hoorde.

Veel meer woorden kreeg ze niet bij hem los. Ook niet in de dagen en weken daarna. Hij deed zijn werk, sprak wanneer dat nodig was en trok zich steeds vaker terug. Zelfs Take dorst hem niet meer te benaderen. Hij waagde zich soms naar boven, maar keerde dan halverwege de trap weer terug omdat er geen lichtstreepje onder de deur te zien was.

„Zou-ie meteen na het eten naar bed gaan?" vroeg hij z'n vader op een avond toen hij weer tevergeefs naar boven was geweest.

Schaafsma schudde z'n hoofd. „Ik denk van niet. Je zult hem wel in de paardenstal vinden."

„In de paardenstal?!" riepen Take en zijn moeder tegelijk. „Ja, daar heb ik hem op een avond gezien. Het zat me niet lekker dat hij zich zo afzonderde, dus ben ik naar hem op zoek gegaan. Ik zag een ladder tegen de dakgoot staan en toen wist ik het. Om ons niet te storen, klimt-ie 's avonds uit het dakraam en gaat dan naar z'n paard. Ik heb die ladder gepakt om door de stalraampjes te kijken en toen zag ik hem praten met z'n paard."

„Da's toch niet waar!?" riep de boerin geschrokken.

„'t Is raar maar waar, vrouw," hield haar man vol, „ik keek er ook van op."

„Hij zal toch nog wel goed zijn hier?" vroeg de boerin zich hardop af terwijl ze op haar voorhoofd tikte.

„Maak je daar nou maar niet ongerust over," suste haar man, „dat zit wel goed bij die jongen. Trouwens, er zijn wel meer mensen die met hun dieren praten. Ik heb in m'n jonge jaren een rijke boer gekend die al jaren niet tegen zijn vrouw sprak, maar wel tegen z'n dieren. Nou, die vent was heus niet gek, hoor, want hij ging er op een dag vandoor met z'n spaarbankboekje en z'n mooie keukenmeid."

„Ik ben blij dat ik geen keukenmeid heb," merkte de boerin droogjes op.

„En ik geen dik spaarbankboekje," vulde haar man lachend aan.

„Zo is het," vond z'n vrouw, „want we zijn tevreden met wat we hebben. Alleen die jongen, daar zit ik over in."

„Moet je niet doen, vrouw. Laat die jongen nou even betijen, hij is in de rouw en dat moet slijten. Trouwens, over een paar dagen krijgt-ie het druk, want nu de akker wat opdroogt, kunnen de laatste aardappelen er ook uit en moet-ie de dagloners weer optrommelen."

De akker waar de boer van sprak, was het verst verwijderd van de Arendhoeve en lag langs een trekvaart, en om die reden was het plekje niet erg geliefd bij het werkvolk.

Er waren geen beschuttende houtwallen en de wind had er vrij spel. Maar ondanks dat waren alle dagloners weer present en kropen de vrouwen over de moddermassa voort. Dit was hun laatste kans om voor het invallen van de winter nog een centje mee te pakken. Want de winter zat al in de lucht, dat was te voelen aan de koude luchtstroom die de noordoostenwind meebracht. Maar het bleef droog en dat was een meevaller.

Op een van die oogstdagen kwam er een jonge vrouw naar Arnie toe om te melden dat de zwangere vrouw onwel was geworden en of hij even mee wilde komen.

De vrouw zat ineengedoken op de grond met om haar heen een groepje vrouwen.

„Ze is steeds duizelig," wist een van hen te zeggen. „'t Zou beter voor haar zijn als ze thuis was."

„Dat lijkt mij ook," beaamde Arnie en hielp de vrouw op de been. „Ik zal u thuisbrengen met de wagen."

Maar daar wilde de vrouw niet van horen. „Ik heb het geld heel hard nodig," jammerde ze.

„Dat weet ik," antwoordde Arnie, „maar als het met u misgaat hebben uw kinderen helemaal niets, waar of niet."

De vrouw knikte met tegenzin maar liet zich toch naar de wagen brengen.

Haar huisje zag er proper maar armoedig uit en het kamertje voelde kil aan door een rek met nat wasgoed dat om de kachel stond.

Onder het prevelen van een paar dankwoorden, sjokte de vrouw naar het achterkamertje en ging op bed liggen.

„Wil je de deur goed dichttrekken!" riep ze hem nog toe, „hij sluit niet goed en dan komt er zoveel kou binnen."

„Zal ik doen, maar weet u dat de kachel uit is?"

„Dat ook nog," zuchtte de vrouw en maakte aanstalten om op te staan.

„Blijf maar liggen," zei Arnie, „ik maak de kachel wel even aan."

„O, dat is fijn," mompelde ze en trok een lapjesdeken over zich heen.

Nadat de kachel goed en wel brandde, bleek de vrouw al in slaap gevallen te zijn en Arnie sloop het huisje uit na eerst nog een rijksdaalder in de turfbak te hebben gegooid.

Terug op de akker zocht hij z'n riek die hij bij het weggaan in de grond had gestoken maar nu verdwenen was.

Hij vroeg Folkert ernaar en die wees naar Hymen met de woorden: „'t Zal wel weer een flauwe grap van hem zijn, maar laat je niet uit de tent lokken."

Hymen deed echter of hij van niets wist en leunde met een uitdagend gezicht op Arnies riek. „Je hebt het nogal uitgehouden, ventje," zei hij smalend, „'t was zeker gezellig bij dat wijfje. Jij denkt ook: 't kan toch geen kwaad meer bij haar."

Heel even keek Arnie hem niet-begrijpend aan, maar toen Hymens woorden tot hem doordrongen, was het of de wereld om hem heen een rode massa werd.

Hij vloog op Hymen af en sloeg als een dolleman op hem in.

Z'n onverwachte aanval had Hymen verrast, maar niet voor lang want Hymen begon te grijnzen. Een grijns van voldoening want eindelijk had-ie dat ventje gekregen waar hij hem wilde hebben.

Met een rauwe lach schudde hij Arnie van zich af en liet z'n grote vuisten op hem los.

De ene dreun na de andere belandde op het gezicht van Arnie die als een bezetene terugvocht en niet aan ophouden dacht.

Al z'n opgekropte gevoelens leken een uitweg te zoeken in dit gevecht. Z'n kleren scheurden, z'n gezicht zat vol bloed, maar Arnie wist niet van wijken en Hymen evenmin. De vrouwen gilden en sloegen hun handen voor hun gezicht terwijl Folkert er alles aan deed om tussenbeide te komen. Maar niets hielp. De twee vochten verbeten door en rollebolden over de akker tot ze gevaarlijk dicht bij de trekvaart kwamen. En daar hees de grote Hymen Arnie omhoog, gaf hem een voltreffer in z'n maag en liet hem los waardoor Arnie achterover in het water terechtkwam. Voor Hymen was de kous nu af. Met een zegevierende blik liep hij voorbij de vrouwen die ontsteld naar het water keken waar Arnie wanhopig om zich heen sloeg om boven te blijven.

Pas toen hij voor de tweede keer onder water verdween, begreep Folkert dat zijn voorman niet kon zwemmen.

Hij haalde snel een riek die Arnie nog maar net kon grijpen en toen iedereen dacht dat hij het gered had, lieten z'n vingers de riek los.

Het gevecht en het koude water hadden te veel van zijn krachten gevergd en langzaam werd de wereld om hem heen zwart en sloot het water zich boven hem.

Het was Folkert die hem na sprong en hem, met de hulp van de vrouwen, op de kant wist te brengen.

Daar kwam hij al rochelend en kokhalzend weer bij z'n positieven en krabbelde moeizaam overeind.

Er was een vreemde blik in z'n ogen toen hij over de hoofden van de anderen heenkeek en gejaagd de horizon afzocht.

„Ik moet gaan," hijgde hij, „dat zei een stem toen ik onder water was. Ik ben een bastaard en breng ongeluk. Het ga u allen goed…"

Zonder iemand nog een blik te gunnen, rende Arnie naar de wagen, sprong op de bok en spoorde het paard aan tot grote spoed.

Met veel gekraak scheurde de oogstwagen door de bochten

waardoor de volle manden omvielen en de kar een spoor van aardappelen achterliet.

Aangekomen op de Arendhoeve stormde hij de keuken binnen en botste tegen de boerin op die hem staande hield en niets begreep van zijn wilde blik en de ruwe manier waarmee hij haar opzijduwde en naar boven rende.

Pas toen hij terugkwam met een jutezak en de uil in z'n hand, zag ze zijn natte gescheurde kleren en gezwollen gezicht vol bloed.

Geschrokken deed ze een stap achteruit en sloeg haar hand voor haar mond. „O jongen, wat is er gebeurd, wat zie je er verschrikkelijk uit. Kom, ga even bij de kachel zitten dan haal ik droge kleren voor je en een doek voor de wonden."

Maar Arnie had geen tijd voor getreuzel, hij moest weg. Weg van alles en iedereen.

Met nog altijd die gejaagde blik in z'n ogen wilde hij de boerin opnieuw opzijduwen, ze stond z'n vlucht in de weg.

Maar haar goedig gezicht en bezorgde blik weerhielden hem van ruwheid en heel even verslapte zijn verwrongen gezicht. „Vrouw Schaafsma," hijgde hij met betraande ogen, „laat me erdoor. U bent een goed mens, uw man en zoon ook, maar ik moet weg. Ik hoor hier niet thuis, vrouw Schaafsma. Ik breng ongeluk. Overal waar ik kom gaat het mis en iedereen waar ik van hou gaat dood. Daarom vraag ik u: laat deze bastaard gaan. Het zal er u beter door gaan, geloof me want het zijn Gods eigen woorden. Ik hoorde ze op de bodem van de vaart…"

De boerin keek hem ontsteld aan en ze was even zonder woorden. Wat of wie had deze aardige jongen zo veranderd. Hij leek niet meer goed bij z'n hoofd te zijn. Wilde er in dit gure weer vandoor met drijfnatte kleren, een bloedneus en een grote open wond onder z'n oog. Dat kon niet. Ze moest hem tot andere gedachten brengen en dat zou vast wel lukken…

„Ga even naar boven," zei ze op een kalmerende toon, „trek droge kleren aan, dan zet ik in die tijd een kommetje koffie voor je en dan vertel jij me wat er gebeurd is. Afgesproken?"

Maar haar woorden konden Arnie niet tot andere gedachten brengen. Erger nog, ze gingen volkomen langs hem heen en dat begreep ze pas toen hij naar de stal rende en met Frouke naar buiten kwam.

Ze jammerde in haar schort en riep hem nog iets toe, maar al haar moeite was tevergeefs en ze keek hem geheel ontdaan na toen hij z'n paard een commando toeschreeuwde en er als een gek vandoorging.

De riemen van het zadel wapperden nog achter hem aan, maar daar had hij geen tijd voor. Hij moest weg... weg...

Pas toen het kerkhof van De Goede Herder in zicht kwam, gunde hij Frouke even rust op het grasveld bij een vijver. Zelf liep hij naar het toegangshek van het kerkhof, waar hij zijn paard als vanzelf naar toe had geleid.

Het hek was op slot, dus klom hij eroverheen en zocht het graf van Mijntje.

Lang staarde hij naar het paaltje op het graf en prevelde onsamenhangende zinnen met klapperende tanden want de straffe wind sneed onbarmhartig door z'n natte kleren. Ook zocht hij naar het plekje waar Lobbe lag. Bij de begrafenis van Mijntje had de directrice het hem gewezen, maar nu was zijn verwardheid te groot, hij kon het grafje niet terugvinden en liep met een schuldig gevoel jegens het kind terug naar Frouke.

De stilte van het kerkhof en de devote grafschriften hadden hem wat gekalmeerd hij nam de tijd om het zadel aan te gespen, om er even later weer als een dolleman vandoor te gaan.

Af en toe keek hij schichtig om omdat de duvel hem op de hielen kon zitten, want God had hem vogelvrij verklaard vanwege z'n zondig leven. Door hem immers was Mijntje zwanger geraakt en door zijn schuld gestorven.

Ja, hij was zondig en daarom mocht-ie niemand behouden en zou-ie altijd achtervolgd worden door de duvel die zich verschool in mensen zoals Hymen. En daarom moest z'n nieuwe leven er anders uit gaan zien.

Zwerven zou het beste zijn want dan kon er ook geen vriendschap ontstaan of ruzies.

En niemand meer laten blijken hoezeer-ie verlangde naar de liefde en warmte van een medemens.

Naar Mijntje en Lobbe. Naar de Leeuwerikhoeve en moeder Ovink met haar tedere stem en strelende handen. Naar Plaggemientje en Geurt en een keuken met knappend houtvuur en geurende hammen...

Nee... dat soort verlangens moest-ie wegstoppen en alleen nog maar passanten op z'n pad laten komen. Maar eerst moest-ie voort, weg van alles wat vertrouwd was. Zich losmaken van het verleden en naar onbekende oorden gaan.

„Toe Frouke, schiet eens op! Laat zien wat je kan! Hop, hop, zet 'm op...!"

De duisternis was al compleet toen het opgejaagde paard nog voortdraafde over kale heidevlaktes en kronkelige zandwegen. Langs verlaten boerderijen en dorpen, want de stormachtige wind en striemende regen nodigden niemand naar buiten.

En de onstuimige Frouke draafde maar voort, ook al kreeg ze daar geen commando meer voor van haar baas die ineengedoken en rillend te paard zat en zich aan het dier moest vasthouden om in het zadel te blijven.

Dicht bij een hoeve bleef Frouke plotseling staan. Ze rook water en gras en was niet van plan dit aan haar neus voorbij te laten gaan.

Behendig sprong ze over de omheining van een weiland en liep naar de drinkput zonder zich te bekommeren om haar baas die niet bepaald zachtzinnig in de berm terecht was gekomen.

Geërgerd kwam hij overeind en wilde Frouke terugfluiten maar begreep bijtijds dat de voedertijd van het dier al uren verstreken was, dus liet hij haar begaan en tuurde door de duisternis naar de verlichte raampjes van de hoeve.

Daarginds brandde de kachel en zou warme koffie zijn, zo'n grote kroes waaraan hij z'n handen kon warmen. Misschien gaven ze hem wel brood met spek en werd hem een bed met warme dekens aangeboden.

Ze zouden er logies voor mogen rekenen want z'n geldbuideltje was-ie niet vergeten. Het was wel uitgedund door de begrafenis van Plaggemientje, maar de rest zou zuinig bewaard worden. Dat was bestemd voor de grafstenen van Mijntje en Lobbe.

„Daar moet de familie zelf voor zorgen," had de directrice gezegd. „De beide begrafenissen worden door ons betaald van het geld dat voor Willemijn was vastgezet." Hij had nog voorgesteld om een mooi doodskleed voor Mijntje te kopen, maar de directrice vond het uniform mooi genoeg. Hij mocht niet vergeten dat Willemijn zondig was geweest en op sobere wijze voor God moest verschijnen...

Mijntje zondig! Wat verbeeldde die vrouw zich wel. Mijntje had nog nooit iemand kwaad gedaan. Mijntje was een en al goedheid en zou daarom de mooiste steen krijgen die er was! En als-ie wat geld uit het buideltje nam, zou het er zeker weer in terugkomen zodra er inkomsten waren. Misschien kon die boer van de hoeve een losse werkman gebruiken. Zomaar voor een paar dagen...

Arnie begreep dat het tijd werd om iets te ondernemen. Straks, als de lichtjes achter de ramen werden gedoofd, was zijn kans verkeken. En waar kon hij dan nog terecht voor de nacht?

Maar was het wel verstandig om onderdak te vragen, zou het niet beter zijn om verder te trekken? Hoe verder hij van het verleden gescheiden was, des te veiliger het was. Hij moest op zoek gaan naar een plek waar niemand hem kende. Waar niemand vervelende vragen stelde. Maar z'n lichaam voelde niet goed. Of was het de honger waardoor hij zo rilde?

Arnies gedachten vlogen heen en weer en z'n blik was nog altijd gejaagd.

Hij wist geen besluit te nemen en pakte z'n zakhorloge om het meteen weer op te bergen. 't Was immers te donker om iets te zien.

Hij floot Frouke maar die liet hem wachten. De paar polletjes gras op het kaalgevreten veld mochten niet blijven staan.

Arnie floot nogmaals en tuurde in de richting van het weiland. Nu kwam Frouke bij het hek, maar bleef grazen, dus besloot Arnie om toch maar onderdak te vragen bij de hoeve. Frouke had het immers naar haar zin, dat liet ze blijken.

Met verkleumde handen liet hij de klopper op de deur vallen en er werd kort daarna opengedaan door een nog jonge man die hem wantrouwend opnam.

„Wij kopen niet van vreemden," zei hij met een stuurse blik op de jutezak die Arnie droeg.

„Ik heb niets te koop," antwoordde Arnie, „maar ik zou u dankbaar zijn als u mij een nacht onderdak wilt verlenen en misschien kan u, voor een paar dagen, een arbeider gebruiken."

De man snoof minachtend en liet zijn blik over Arnies verwond gezicht en gehavende kleding glijden.

„Een arbeider wel maar een schooier niet," zei hij uiteindelijk en sloot pardoes de deur.

Verbouwereerd bleef Arnie achter en besefte ineens dat zijn verschijning te wensen overliet, zeker voor onbekenden.

Voorzichtig betastte hij z'n gezwollen gezicht en de brandende wond onder z'n oog. De vele regen had het bloed er afgespoeld, maar Hymens vuisten hadden z'n gezicht danig toegetakeld.

„Ik moet me verkleden," mompelde hij, „zoals ik er nu uitzie lijk ik inderdaad op een schooier. Dat had ik eerder moeten bedenken."

Hij zag niet dat de boer hem vanachter de gordijntjes in de gaten hield en hij schrok toen de deur onverwachts openging en de man hem toesnauwde: „Maak dat je wegkomt, ik moet geen schoelje op m'n erf! Wegwezen, anders roep ik de veldwachter!"

Gehoorzaam droop Arnie af en nadat hij wist dat de deur weer gesloten was, graaide hij snel twee penen uit een kist die bij een schuurtje stond.

Hij zette z'n pijnlijke en loszittende tanden in de ene peen en probeerde met de andere Frouke uit de wei te lokken. Dat lukte hem, waarna hij zich moeizaam in het zadel hees en in de duisternis verdween.

De nacht was al een eind heen, toen Frouke nog altijd voortsjokte. Ze liet haar berijder goed zien dat ze er genoeg van had en aan rust toe was.

Maar haar baas had daar geen oog meer voor, die voelde zich steeds zieker.

Kilometers lang zat hij futloos en met gesloten ogen te paard om zo af en toe in de duisternis te turen op zoek naar een onderkomen.

Alles zou goed zijn. Zelfs een vervallen hut, als-ie z'n pijnlijk hoofd en rillerig lijf maar kon neervlijen. In de nanacht werd z'n wens vervuld en stapte hij af bij een klein bouwvallig schuurtje.

't Was niet op slot en het rook er naar stro en mest.

Op de tast ging hij naar binnen en deed dat heel behoedzaam, want het kon een varkenskot zijn en een varken dat gestoord werd was beslist niet aardig.

Toen hij de paar vierkante meters had doorgeschuifeld, wist hij dat er geen dieren waren maar wel een baal stro en een trog.

Hij bond Frouke vast aan de deurklink, spreidde de stro in de trog en rolde er met een zucht van verlichting in.

HOOFDSTUK 14

Zich van niets en niemand meer bewust, sliep hij uren achtereen en werd laat in de ochtend wakker door een kinderstem. Geschrokken schoot hij overeind om er snel vandoor te gaan, maar z'n lichaam wilde niet mee waardoor hij langzaam in het stro terugzakte.

Met glazige ogen keek hij naar het meisje dat voor hem stond en hem vroeg: „Bent u een landloper?"

Hij schudde z'n hoofd en sloot vermoeid z'n ogen terwijl het meisje doorbabbelde: „Als u een landloper was, mocht ik niet met u praten. Dat wil m'n moeder niet, want landlopers stelen en stelen mag niet van God. Is dat paard van u?"

Hij knikte, waarop het meisje breed glimlachte. „Nu weet ik zeker dat u geen landloper bent want die hebben geen paard. Maar waarom slaapt u dan hier?"

Arnie zocht naar een redelijk antwoord want hoewel het meisje er nog jong en frêle uitzag, priemden haar heldere ogen wel door hem heen en vroegen om eerlijkheid.

Hij maakte een vermoeid gebaar en zei: „Ik was op zoek naar werk, maar ik ben ziek geworden."

„O… dat is erg, maar ook wel een beetje uw eigen schuld. Had u maar niet moeten vechten."

Verbluft keek Arnie naar haar op en zag haar bestraffende blik waarmee ze op z'n wonden wees.

„Daar moeten kamilledoekjes op," zei ze, „maar daar heb ik nu geen tijd voor. Als ik te lang wegblijf wordt boer Wattel boos."

Arnies verbazing steeg bij de eigenwijze taal van het kleine ding. Hij hees zich wat overeind en vroeg: „Hoe oud ben je?"

„Ik ben tien jaar en heet Janske en hoe heet u?"

„Ik heet Arnie."

„Hm, dat klinkt wel leuk," vond Janske en voegde er haastig aan toe: „Ik moet nu echt weg, hoor. Ik kwam alleen maar een baal stro halen voor de biggen. Over een paar weken moeten ze in dit kot, dus dan kunt u hier niet meer slapen, hoor."

Ze gooide de deur van het kotje wijd open en Arnie knipperde met z'n ogen. Janskes ogen gleden door het kot.

„Wat raar," mompelde ze, „van de week was er nog een baal stro en nu is-ie weg."

„Dat is mijn schuld," bekende Arnie, „ik had het zo koud." Er verscheen een rimpel tussen de strenge oogjes van het meisje en ze kneedde bedachtzaam haar kin voor ze zei: „Nou, dan zal ik maar tegen boer Wattel zeggen dat ik me van de week vergist heb en dat de stro op is. Dan jok ik wel, maar als je jokt om iemand te helpen dan wordt God niet boos."

Ze was al bij de deur toen ze weer terugkwam en zich over Arnie heen boog: „Als ik straks naar huis ga kom ik nog even langs."

„Zou je dan wat water voor me mee kunnen nemen, Janske? Ik heb zo'n dorst."

„Weet u hoe dat komt?" wist Janske. „Dat komt omdat u het zo warm hebt. Uw gezicht zit vol zweetdruppeltjes."

Een uur later stond ze weer bij hem en reikte hem hijgend een veldfles aan: „Die vond ik in de schuur bij boer Wattel," zei ze met enige trots in haar stem.

Dankbaar nam hij de fles aan en dronk die gulzig leeg met z'n ogen op het meisje gericht. „Wat zei de boer van die baal stro?" vroeg hij bezorgd.

„Hij vond me een stom kind en als het weer gebeurde moest ik maar teruggaan naar school om beter te leren tellen."

„Zit je dan niet meer op school?"

„Nee, m'n vader wil dat ik op m'n broertjes pas, dan kan m'n moeder ook geld verdienen. Mijn vader spaart voor een echt huis."

„Een echt huis?"

„Ja, zo'n huis van steen, weet u wel? We wonen nu in een plaggenhut."

„En woon je ver van hier?"

„Een kwartier lopen en daarom moet ik nu weg want m'n broertjes komen uit school en dan moet ik brood voor ze snijden."

„Ik vind jou een hele flinke meid," prees Arnie.

Janske glom van trots en om nog meer indruk te maken op Arnie ratelde ze maar door. „Ja, en bij boer Wattel schrob ik elke dag de melkbussen en daarna de stoep en daarna de koegrup. Om elf uur moet ik de aardappelen schillen en vanmiddag moet ik een kip plukken en de keuken dweilen. Ik verdien een dubbeltje per dag en dat is zestig cent in de week, hoor. En nu ga ik weg en kom vanmiddag terug om te kijken of u al beter bent."

Met een meewarige blik keek hij haar na en zag dat ze de veters van haar veel te grote schoenen om haar smalle enkeltjes had gebonden.

Voelde hij zich maar goed genoeg om te vertrekken. Nu wilde dat arme kind ook nog achter hém aandraven.

Hij had het haar moeten verbieden of moeten zeggen dat-ie gejokt had en wél een landloper was.

Eigenlijk was-ie dat ook. Sinds vanochtend was z'n leven totaal veranderd. Hijzelf nog het meest en het maakte toch allemaal niets meer uit sinds Mijntje uit z'n leven was.

Wat voor doel had z'n bestaan nog?

Alles was voor z'n voeten weggemaaid. Als een gesel had Gods Hand toegeslagen en hem de harde waarheid laten voelen.

Eerst door z'n hart te vermorzelen en nu was z'n lichaam aan de beurt. Z'n hoofd was ziek en z'n lichaam ook. Misschien zou-ie hier in die trog z'n laatste adem uitblazen. In een trog, want meer was-ie voor God niet waard...

Langzaam zakten z'n ogen dicht en was het of hij in een diepe put viel. Een smalle schacht met daarboven een opening waar het daglicht binnenviel. En in dat daglicht verscheen Mijntje in een prachtig wit gewaad en vleugels van satijn. Ze was mooier dan ooit en ze danste met wapperende haren. Ze wenkte hem en vol gelukzaligheid strekte hij z'n armen naar haar uit en worstelde om uit de put te komen. Maar de kracht ontbrak hem en terwijl hij herhaaldelijk haar naam riep en haar smeekte te blijven, verdween Mijntjes beeltenis uit het daglicht en zakte hij vertwijfeld terug in het stro en bleef haar roepen.

Totdat Janske kwam en hem uit z'n benauwende droom haalde. Ze bleef op afstand en leek geschrokken door zijn wartaal en wilde gebaren.

„U deed zo raar," zei ze toen hij z'n ogen opende, „en u riep steeds om Mijntje. Wie is Mijntje?"

Hij ontweek haar vragende blik door z'n ogen te sluiten en antwoordde: „Ik denk dat ik naar gedroomd heb, Janske. Is er nog wat water in de fles?"
Ze schudde haar hoofd en Arnie zag dat ze aarzelde om dichterbij te komen. Ook las hij angst in haar ogen.
„Wat is er, Janske, ben je bang voor me geworden?"
Janskes kin begon te trillen en ineens liepen er tranen over haar wangen.
Ontdaan kwam Arnie overeind en trachtte haar hand te pakken.
„Maar Janske toch, heb ik je nou zó laten schrikken?"
Het kind knikte heftig en snikte: „U deed net zo eng als m'n vader als-ie dronken is en dan krijg ik altijd klappen en dan zegt-ie dat ik stom ben en nooit iets goed doe." Even wist Arnie niets te zeggen. De tranen en de woorden van het kind deden hem zeer.
Zo'n lief kind en dan nog klappen toe... Maar hij moest voorzichtig zijn en zich niet bemoeien met zaken die hem niet aangingen. Dat gaf problemen en dat was wel het laatste waar z'n hoofd naar stond...
„Het spijt me dat ik je zo heb laten schrikken," zei hij na enige tijd, „maar ik weet er zelf niets van. 't Was een droom, begrijp je? Kom maar even bij me zitten."
Janske deed het en Arnie haalde zijn zakdoek tevoorschijn om haar tranen te drogen.
„Zodra ik beter ben koop ik iets moois voor je," beloofde hij plechtig. „Dat heb je dik verdiend, je bent zo goed voor me."
Janskes gezicht klaarde helemaal op en haar huilogen straalden toen ze vroeg: „Wat krijg ik dan?"
„Dat verklap ik niet, Janske, dat is een verrassing." Janskes hand gleed in haar schortzak en ze haalde een sneetje brood tevoorschijn. „Heb ik voor u meegebracht. 't Is wel dun hoor, maar anders hebben we morgen niet genoeg."
Ondanks z'n tegenzin zette hij z'n tanden in het brood dat voor hem naar karton smaakte. Maar hij propte het naar binnen omdat Janske naar hem keek en weer helemaal de oude leek te zijn. Ze praatte honderduit. „Als het vandaag zondag was geweest, had ik er vet op gedaan, maar op andere dagen eten

we het zo. Op zondag krijgen we ook een kandijklontje van m'n moeder. Dat smaakt heel lekker. Als ik groter ben mag ik met m'n moeder mee om turf te stapelen en dan hoef ik niet meer naar boer Wattel. Hij is niks aardig en gierig ook. Als zij koffiedrinken krijg ik niks, ook geen roggebrood met spek. En ik lust er wel vier. Vijf ook wel. Bent u al beter? M'n vader zei dat het vannacht gaat vriezen en dan moet u een deken. Ik zal m'n moeder vragen of ze een deken heeft of misschien buurvrouw Neel wel."

Arnie had moeite haar geratel te volgen, maar maakte nu een afwerend gebaar. „Och, laat maar, Janske, 't is misschien beter dat niemand weet dat ik hier ben. Ik zie er niet zo netjes uit, weet je."

„ Poeh, wat geeft dat nou," vond Janske. „Niemand ziet er netjes uit in ons dorp. Alleen de dokter, die heeft een hoge hoed en een wandelstok. En u ziet er wel slordig uit, maar u bent wel aardig en rijk ook, net als de dokter want die heeft ook een paard."

Haar woorden ontlokten een glimlach aan Arnie en hij zei: „Ik ben niet rijk, Janske. Dit paard was van m'n vader en het moet nodig haver en water hebben. Weet jij waar ik dat kan kopen?"

Janske schudde haar hoofd. „Ik niet, maar misschien weet mijn vader het en anders eet-ie maar gras."

„Dat is te weinig, Janske. Frouke moet goed eten want zodra ik me wat beter voel, gaan we weer verder."

„Gaat u weer weg?!" vroeg Janske geschrokken. „Maar dat vind ik helemaal niet leuk. U moet eerst beter worden en ik zal vragen of mijn moeder dat doet. Ze maakt ons ook altijd beter. En als u weggaat krijg ik ook niks moois van u."

„Dat krijg je wel, Janske. Wat ik beloof doe ik, dat zul je zien." Haastig als ze steeds was ging ze weer weg en sloeg de deur hard dicht.

Was ze boos, of teleurgesteld?

Hij hoorde haar voetstappen wegsterven en vond zichzelf een ezel omdat-ie niet naar het adres van de dokter had gevraagd. Die zou wel een middeltje hebben waardoor de koorts zakte. Als-ie zich maar niet meer zo slap voelde want dan kon-ie tenminste iets ondernemen. Frouke had ook dringend verzorging nodig.

Zou het verstandig zijn als-ie probeerde op te staan om iets fatsoenlijks aan te trekken? 't Zou in ieder geval een betere indruk geven en er zat nog nette kleding in de jutezak.

Maar om zich in het kille hok om te kleden was niet erg aantrekkelijk en nog vermoeiend ook, dus stelde hij het steeds weer uit.

Maar op den duur vermande hij zich, hees zich uit de trog en begon zich te ontkleden.

De koude tochtvlagen joegen om z'n naakte lijf en hij verzamelde al z'n krachten om snel iets aan te trekken.

Hij was er nog mee bezig toen de deur plotseling werd geopend door een vrouw die hem van top tot teen opnam.

Vol schaamte trok hij haastig z'n broek omhoog en mompelde met een verwrongen gezicht een verontschuldiging. „Ik ben de moeder van Janske," viel de vrouw met de deur in huis, „en ik wilde de man wel eens zien die cadeautjes belooft aan vreemde kinderen."

Ze zei het bits en haar ogen hadden de waakzame blik van iemand die elk ogenblik een aanval verwachtte.

Om te laten zien dat ze geen gemakkelijke prooi was, zette ze haar handen in haar zij en vervolgde: „Wie ben je en wat doe je hier!"

„Ik ben Arnie Ovink," antwoordde Arnie, die zelf niet besefte hoe slungelig hij erbij stond met z'n beteuterd gezicht en z'n twee handen aan z'n broek die nog steeds niet gesloten was en dreigde af te zakken.

„Ik was op zoek naar werk, maar werd ineens ziek en vond dit schuurtje om te overnachten. Janske vond me hier en bracht me water. Ik mag haar voor die zorg toch wel dankbaar zijn?"

Janskes moeder gaf geen antwoord, wél haalde ze haar handen uit haar zij en deed een stap naar voren.

„Je hebt koorts," was haar mening, „je ogen glanzen te veel en als je niet oppast gaat de wond onder je oog zweren. Maar daar heb ik wel wat voor, kom maar mee."

Hij sjokte achter haar aan naar buiten, nam Frouke bij de teugels en sloot ongezien de knopen van z'n broek.

„Geef mij het paard maar," zei ze, „en blijf achter me lopen, de wind is guur. Als je er niets meer bij krijgt, heb je toch al genoeg. Jullie kerels moeten altijd vechten. Thuis heb ik er ook zo een. Of een bloedneus, of een blauw oog, 't is altijd wel wat. En als je hem moet geloven komt het altijd door een ander. Maar mij maakt niemand wat wijs. Jij ook niet…"

Ze sprak nog steeds op bitse toon, maar door de wind gingen veel van haar woorden hem voorbij. Maar één ding wist hij zeker: de frêle Janske leek in niets op haar moeder, alleen hun babbelzucht hadden ze gemeen.

Maar ze was genegen hem te helpen en achter haar brede gestalte was het redelijk uit te houden.

Bij een klein boerenbedrijfje stopte ze en gaf hem de opdracht om in de luwte op haar te wachten.

Zelf liep ze het erf op met Frouke aan haar zij en kwam even later terug op hem te vertellen dat z'n paard voorlopig in het weiland van de boer mocht bivakkeren.

Haar mededeling was een grote opluchting voor hem en dat zei hij haar ook, maar ze deed of ze hem niet hoorde en vervolgde haar weg.

Het was inmiddels schemerdonker toen ze een rijtje arbeidershuisjes passeerden en een bord dat de naam Ramsoord vermeldde.

Hij herinnerde zich die naam van de aardrijkskundelessen op school en besefte dat hij zich in het zuidoosten van de provincie bevond.

Tjonge, dan had-ie in korte tijd een flinke afstand afgelegd.

„Je moet niet denken dat we in zo'n huis wonen, hoor," zei Janskes moeder en wees naar de stenen huisjes. „Zover zijn we nog niet en als-ie zo door blijft zuipen, komt het er nooit van."

Ze snoof luid, spoog op de grond en sloeg een zijpaadje in waardoor de eerste plaggenhutten in zicht kwamen.

Ze stonden her en der verspreid en overal liepen kinderen met bleke gezichten en in dezelfde schamele kleding als Janske.

Ze gingen een plaggenhut binnen waar een bedompte lucht hem tegemoet kwam en de twee kleine raampjes net genoeg licht gaven om de bulten en kuilen in de lemen vloer te zien.

Ze verwees hem naar de tafel bij het raam en haalde de volle piespot weg vanonder het bed.

„Dat is Janske d'r werk," mopperde ze toen ze terugkwam, „maar negen van de tien keer vergeet ze het."

Hij antwoordde niet, was blij dat-ie zat en maakte het bovenste knoopje van z'n boezeroen los.

De mengeling van geuren in de hut maakte hem misselijk en het liefst was hij naar buiten gevlucht, maar dat zou wat al te onbeleefd zijn. Bovendien wist Janskes moeder een middeltje om z'n wond te genezen en misschien ook iets waarmee de koorts zakte.

Janskes moeder leek z'n gedachten te raden. „Ik zal eerst eens water heet maken om kamillethee voor je te zetten," zei ze en porde het petieterige kacheltje op en gooide er wat sprokkelhout in.

„Je kan nog blijven eten ook, maar meer heb ik je niet te bieden. 'k Heb maar één bed en dat heb ik zelf nodig. De kinderen liggen op de grond, daar bij het schotje. Achter het schotje ligt de geit 's nachts, maar als je wilt mag je daar ook liggen. Die trog in het varkenshok stinkt toch ook naar mest. Of niet soms?"

„Ja, dat is zo, maar ik wil u helemaal niet lastigvallen. Als ik…"

„Hou op met dat u," viel ze hem in de rede. „Ik heet Nannie. Nannie ter Velde, de dochter van de kruidenier. En die dochter moest zo nodig verliefd worden op Tino ter Velde, een weduwnaar met een kind. Janske dus. M'n vader is nog altijd kwaad over m'n keuze, maar ik was gelukkig met hem, tot-ie de fles ontdekte. En wat doe je d'r aan? 'k Heb vier kinderen met Janske mee. Ik behandel haar net als m'n eigen kroost, hoor. Geen verschil, daar hou ik niet van."

Ze praatte maar door en hij volgde haar bewegingen toen ze de thee bereidde en repen scheurde van een oude lap.

Ze ziet er eender uit als haar hut, bedacht hij. Slordig, plomp en wat vervallen. Alleen haar gezicht had nog iets jeugdigs, op haar mond na, die toonde een bittere trek.

Ze legde een paar reepjes stof in de thee en keek naar z'n wond. „Die had meteen behandeld moeten worden," was haar conclusie, „nu blijft het een litteken. Maar een beetje vrouw valt daar niet over. Er is nog genoeg aan je te zien. En je moet maar zó denken: elk mens heeft littekens. De één van binnen en de ander van buiten."

Ze schonk hem een kroes thee in, kneep een lapje uit en drukte die op de wond.

Hij schokte even door de pijn van de hete lap op de rauwe wond en dat viel verkeerd bij haar.

„Niet zeuren, hoor!" snauwde ze, „wie z'n gat verbrandt moet op de blaren zitten! Wat pijn betreft zijn mannen zeikers! Jullie moesten eens een kind krijgen, dan zouden jullie niet zo gauw meer piepen! Maar vertel eens, voor wie of wat ben je op de loop, want je kan mij niet wijsmaken dat iemand zoals jij zomaar rondzwalkt."

Hij gaf niet meteen antwoord en beet op z'n kiezen toen ze de lap van de wond trok.

„Kijk," zei ze en wees naar de lap, „die vieze troep moet er eerst af, eerder kan het niet genezen. En je hebt nog geen antwoord gegeven op m'n vraag."

Even wenste hij dat hij nog in de trog lag, zo zonder vragen, maar hij begreep ook dat de vrouw wilde weten wie ze in huis had gehaald.

„Verdriet," zei hij kort en met de hoop dat z'n antwoord afdoende was. Hij wendde zijn gezicht van haar af en verzon alvast een antwoord op haar vraag om uitleg. Maar die kwam niet en omdat het zo lang stil bleef, keek hij om en zag dat ze met haar rug naar hem toe was gaan staan en met haar schort langs haar ogen veegde.

Ze bleef met haar rug naar hem toe staan toen ze zei: „Als je werk zoekt is er in het veen nog wel wat te doen. Maar niet lang meer, als de winter invalt is het afgelopen. Maar dan kun je weer wat verdienen met het plukken van heide. Verwacht niet dat je er rijk van wordt. 't Is net genoeg om in leven te blijven. Soms denk ik wel eens: de slavernij is grotendeels afgeschaft, maar hier in het veen lopen we blijkbaar achter.

Als je niet bij de geit wilt slapen, kun je in de hut van ouwe Teun, een eindje verderop. Die hut staat leeg. Ouwe Teun is een paar weken geleden gestorven. Heel jammer. Een lieve man, heel behulpzaam en heel wijs. Op een ochtend vond ik hem dood op bed. 'k Heb hem afgelegd. Had-ie wel verdiend na al die klaagliederen van mij.

't Eigenaardige van die man was dat-ie nooit wat zei, alleen maar luisterde. Zondags bracht ik hem altijd aardappelen gebakken in de raapolie. Vond-ie heerlijk. Dan deed-ie z'n pet af en bad langdurig voor-ie het opat. Hij bad langer dan-ie at.

Zelf bid ik niet meer sinds de dominee tegen me zei dat God armen en rijken heeft geschapen. M'n kinderen moeten wél bidden, hoor. Ik wil ze toch iets meegeven voor later.

't Is het enige wat ik te geven heb in deze modderpoel en misschien kunnen zij er wel mee uit de voeten."

Al pratende was ze bij hem komen zitten en schonk z'n kroes weer vol terwijl haar ogen vorsend over hem heen gleden.

„Echte armoe heb jij nooit gekend," merkte ze op, „daar ziet je boezeroen er te duur voor uit. Maar hier zul je gauw genoeg weten wat armoe is. Bedenk je dus maar twee keer voor je de hut van ouwe Teun betrekt. Dat neemt niet weg dat ik het wel fijn zou vinden. Dan brandt daar weer een lichtje en dat lichtje was altijd mijn baken…"

Toen haar drie zoontjes binnenkwamen en vechtend over de grond rolden, nam hij zijn besluit en zocht de hut van ouwe Teun op.

't Was er akelig kil en het rook er net zo bedompt als in de hut van Nannie. Maar er heerste rust, er stond een tafeltje met een stoel en iets dat op een bed leek.

Hij liet zich op het bed vallen, trok uit de baal lompen op het voeteneind een paar lappen over zich heen en sloot uit vermoeidheid z'n ogen.

Buiten klonk het gejoel van kinderen bij hun dans in de plassen en binnen huilde de wind door het schoorsteenpijpje en blies asresten vanuit het gammele kacheltje het kamertje in, terwijl Arnie tussen sluimeren en waken z'n omstandigheden overdacht.

Had hij het wel verstandig aangepakt met zijn overhaaste vlucht? En waar wás hij voor gevlucht, voor Hymen of voor het verleden? Als hij voor het verleden was gevlucht had hij het beter kunnen laten, 't hing als een mantel om hem heen. Hoe kon hij Mijntje en Lobbe ooit vergeten… Vader en moeder… De Leeuwerikhoeve… Als ze in de hemel waren, zouden ze hem nu zien liggen en waarschijnlijk heel ontevreden zijn over zijn gedrag. Maar wie in zijn hart kon kijken zou zien hoeveel pijn er zat en dan ook zijn stap begrijpen. Er was geen andere keus, hij moest letterlijk en figuurlijk een andere weg inslaan.

Niets wat aan vroeger herinnerde mocht nog op zijn pad komen en de wond weer openscheuren. Zelfs de stem van Geurt of de weemoedige klanken van de harmonica waren taboe, ze zouden de tranen achter zijn ogen doen branden en daar werd niemand wijzer van. Dat dwaze terugverlangen naar vroeger moest maar eens ophouden. Vroeger was voorbij en kwam niet meer terug. Dat was het enige wat vaststond, de rest zou de tijd wel uitmaken.

En die tijd noemde men ook wel toekomst, een mooier woord. Een woord waar verwachting in verborgen lag. Verwachting van liefde… geluk… gezondheid… welstand… vriendschap en nog veel meer…

Maar op al die waardevolle zaken moest-ie maar niet meer rekenen, alhoewel het erop ging lijken dat hij nu toch wel de vriendschap aan zijn kant had. Vriendschap van mensen die weinig hadden en veel konden missen. Een mooie eigenschap en reden genoeg om hier te blijven en samen met hen af te wachten wat de toekomst brengen mocht.

Maar zo luidde toch ook een lied uit de Gezangenbundel? Hij had het laatst nog gezongen: „Wat de toekomst brengen moge, mij geleidt des Heren Hand…" 't Was een prachtige tekst waar hoop en vertrouwen uit sprak en daar moest-ie zich dan maar aan vasthouden als aan een rots in de branding.

Hij had enige vriendschap ondervonden hier, wellicht wachtte hem nog eens meer...